Guide du botaniste amateur

Le ministère de l'Agriculture, des Pêcheries
et de l'Alimentation a collaboré
à la préparation du présent ouvrage.

Publication réalisée
à la Direction générale des publications
gouvernementales du ministère des Communications

© Gouvernement du Québec, 1982
Tous droits réservés sans l'autorisation écrite de la
Direction générale des publications gouvernementales
Dépôt légal — 4ᵉ trimestre 1982
Bibliothèque nationale du Québec
ISBN 0-7754-2432-3

Avant-propos

La popularité soutenue dont jouit depuis sa publication « Le botaniste amateur en campagne » a incité le ministère de l'Agriculture, des Pêcheries et de l'Alimentation du Québec à adapter et à réimprimer cette brochure, dans l'intérêt des jeunes et de tous ceux qui veulent s'initier au monde végétal.

La réédition de l'ouvrage du R.P. Louis-Marie, o.c.s.o. a été rendue possible grâce à la bienveillante autorisation des Pères Fidèle Sauvageau, abbé, et M.-Gustave Graton, o.c.s.o. de l'abbaye cistercienne d'Oka. Nous les remercions au nom de tous les botanistes amateurs.

Le ministère est heureux de remettre en circulation une publication qui a toujours capté l'intérêt de nombreux lecteurs et qui continuera sans doute à rendre de précieux services.

Table des planches

Table des matières

AVRIL

Chapitre 1
Le réveil de la flore

1. Une excursion d'initiation

Avril! Il est temps de prendre contact avec la belle nature, simple affaire de lie connaissance avec celle qui devra nous intéresser, ce printemps, et . . . tout le reste de notre vie, sans aucun doute.

Il y aura tellement de choses à voir, durant cette excursion d'initiation, qu'il sera difficile de récolter en même temps de beaux spécimens. Au reste, les plantes du printemps ont ceci de spécial: elles sont jolies, mais bourrées de sève, il faut les regarder, apprendre à les bien connaître, mais, avant de les récolter, il faut avoir acquis de l'expérience.

Le but premier de ce sport qu'est l'herborisation est de voir, d'observer; apprenons donc à regarder.

Apportons une loupe. Elle rendra de bons services; cependant, il faut se rappeler que les yeux suffisent dans la grande majorité des cas.

Un canif bien affûté est absolument nécessaire soit pour tailler les plantes récoltées, soit pour disséquer les organes de la plante.

2. Les organes d'une plante

Les organes d'une plante complète sont: la racine, enfouie dans le sol, — la tige, le plus souvent dressée vers le ciel, parfois rampant misérablement par terre; d'autres fois, paresseuse au point de s'enrouler autour de ses voisines, dont elle suce, dans certains cas, la sève; quelquefois enfin, elle simule les racines et s'enfonce sous terre, où elle se renflera en bulbe (Oignon), en tubercule (Patate). Le vrai moyen de distinguer, quelles que soient sa forme et sa position, une tige d'une racine, c'est que la tige porte des feuilles et la racine, jamais.

Cependant, les deux organes les plus importants pour le botaniste amateur sont: les fleurs et les fruits. Les feuilles étant encore emprisonnées dans leurs bourgeons, nous ne nous occuperons, au début, que des fleurs.

3. Le départ

On part!

Puisqu'on ne récolte pas aujourd'hui, c'est le moment de s'habituer à prendre des notes. On indique, par numéro, les stations où on s'arrête pour herboriser. Que les notes soient précises, abondantes, personnelles, accompagnées de petits dessins, silhouettes d'arbres ou d'arbustes, schéma des fleurs disséquées. Il y a lieu de se faire une sorte de petit journal de botaniste; la mémoire laisse tomber à chaque instant quelque détail, quelque circonstance importante.

4. Premier arrêt: le sous-bois franc

Nous voilà arrivés. Nos bois clairs sont tous plus ou moins des amputés, des rognés par quelque côté, dans les campagnes suburbaines et autour des grands villages du Québec. On leur a volé du bois sur une lisière de terrain, plus ou moins large. Entre les souches a poussé, très dense, toute une armée d'arbustes composée d'une, de deux ou de trois espèces: c'est un taillis.

A) LES AULNES

Si le terrain est bas, argileux, ce sont les **Saules** que les Anglais appellent gentiment « **Pussy Willows** », et les **Aulnes** qui s'emparent de tout l'espace.

Si le terrain est pauvre, sablonneux, ce sont les petits Bouleaux blancs, les Trembles, les Chênes rouges qui se précipiteront.

Les Aulnes ont sur leurs branches de longues grappes rougeâtres laissant échapper des grains de soufre, et d'autres petits cônes secs et noirâtres qui ont produit des graines l'année dernière. (planche 13)

B) LES SAULES

Semblablement, les **Saules** qui se reconnaissent facilement par la couleur et le soyeux de leurs grappes (chatons), sont très abondants. Mais attention, il y a des Saules mâles et des Saules femelles. On distingue les chatons mâles, à distance, par leur couleur jaune soufre; les chatons femelles demeurent jusqu'à la fin, verts et fortement argentés. Cependant, la vraie façon de reconnaître le sexe des fleurs est en disséquant la fleur elle-même. Prenons donc un chaton bien mûr; on voit que c'est une petite grappe formée d'un axe central entouré, de toutes parts, par des rudiments de fleurs. L'organe mâle (étamine) est formé d'un fil ou filet terminé par un ou plusieurs sacs renfermant les grains de pollen qui iront féconder la fleur femelle. Dans le Saule mâle, le nombre des étamines varie de 2 à 6. De même, si on prend un chaton soyeux-argenté, et si, pour mieux voir, on en fend sur le long, l'axe central en commençant par le gros bout, on voit que le chaton est formé par de petites bouteilles branchues au sommet et portées sur une petite queue (pédicelle). Laissons les abeilles approcher et nous les verrons chercher quelque chose en dedans des écailles poilues, à contours entiers; quelque part à la base, il y a en effet les nectaires ou glandes produisant le nectar, avec lequel l'abeille confectionne son miel. (planche 23)

C) LES PEUPLIERS

Les **Peupliers** ont aussi des chatons, mais il est bien facile de les distinguer des saules, par leur taille plus élevée et leur port, par leur écorce, plus lisse, charnue, d'un vert jaunâtre ou d'un vert tendre caractéristique. Dans leurs chatons, plus gros, les fleurs mâles ont jusqu'à 20 étamines; les fleurs femelles, entourées à la base d'une cupule, sont séparées par une écaille brunâtre, fortement dentée. Plus tard, les feuilles, lancéolées dans le Saule, le plus souvent triangulaires dans le Peuplier, permettront d'identifier les uns et les autres sans difficulté. (planche 23)

D) LES PLAINES ET LES ORMES

Pénétrons maintenant sous bois. On voit que deux autres groupes d'arbres fleurissent discrètement de tous côtés: dans le premier est l'**Érable** que l'on appelle plus communément la **Plaine rouge** ou la **Plaine blanche** (Érable rouge ou Érable argenté). Mais renvoyons les Érables à plus tard, leur étude sera plus facile, lorsque leurs fruits et leurs feuilles seront sortis. Le second groupe d'arbres à écorce profondément sillonnée est celui de l'**Orme**. On connaît nos gros ormes régnant comme des rois au milieu des champs, sur le bord des rues de nos villes où les poteaux téléphoniques n'ont pas subjugué toute verdure. Dans les bois, il y a avec les Chênes, les Hêtres, les Frênes et les Tilleuls, une autre espèce d'Orme à taille plus fluette, à bourgeons brunâtres et velus, dont l'écorce en séchant dégage une forte odeur, c'est l'**Orme roux** ou **rouge**. On en reparlera plus tard. (planches 10 et 13)

5. Voici la famille du Lis

(L'ÉRYTHRONE, LES TRILLES, L'AIL)

C'est surtout à cette famille que nos bois, en avril, doivent la beauté de leurs premiers sourires fleuris. Et si nous arpentons quelque peu notre bois, les yeux ouverts, nous ne manquerons pas d'être frappés par une fleur jaune, penchée comme une clochette, et ayant à la base de son pédicelle deux feuilles allongées, ovales-lancéolées, d'un vert satiné, largement envahi par un pigment brun qui recouvre le limbe d'une riche panachure. C'est le petit Lis jaune des bois: l'**Érythrone d'Amérique**. Il y en a beaucoup. À certains endroits, elle forme de larges colonies ressemblant à des armées, avec leurs fers de lance dressés. (planche 2)

A) LA FLEUR DE L'ÉRYTHRONE

Nous nous servirons de cette plante pour faire connaissance avec une fleur complète, c'est-à-dire formée d'un calice (3 sépales), d'une corolle (3 pétales), de six étamines ou organes mâles et d'un pistil, petite bouteille au centre de la fleur, c'est l'organe femelle. Les étamines, ici au nombre de six (caractère spécial à la famille du **Lis**), sont entourées de six pièces jaunes. Les trois extérieures forment le calice qui, normalement, est vert. Si on arrache calice, corolle et étamines, on voit que l'organe femelle ou pistil ressemble en effet à une petite bouteille. La partie renflée contient les graines et si on la tranche en travers, on voit qu'elle se compose de trois chambres (autre caractère de la famille du **Lis**). Le col de la bouteille s'appelle le style et le sommet, un peu dilaté ou ramifié, s'appelle stigmate. C'est sur ce stigmate que les grains de pollen, venant des organes mâles, tombent et germent, allant au fond du pistil féconder les ovules qui donneront les graines. (planche 1, les parties de la fleur).

B) L'AIL DES BOIS

Dans certains bois riches, on voit d'autres feuilles ovales lancéolées; mais elles sont d'un vert pâle. C'est de l'Ail! L'Oignon, l'Échalote, le Poireau et l'Ail appartiennent à un même genre de la famille du **Lis**. (planche 3)

C) LES TRILLES

Certains ont peut-être déjà récolté une fleur blanche, ou une fleur rouge, encore à peine ouvertes, ayant la même structure que l'Érythrone d'Amérique, mais dont le calice est vert et dont les feuilles, groupées par trois, sont fixées haut sur la tige. C'est le **Trille à grande fleur** (fleur blanche), c'est le **Trille dressé** (fleur rouge). Ceux qui iront herboriser dans le bord des Laurentides ou dans les bois des Cantons-de-l'Est, trouveront un autre Trille à fleur blanche, mais ondulé, dont le coeur est veiné de pourpre: c'est le **Trille ondulé**. Plus tard dans la saison, on fera une découverte sensationnelle: au milieu des Trilles à grandes fleurs blanches, on en trouvera à fleurs roses. Ces Trilles roses ne sont autres que de vieux Trilles blancs. (planche 22)

D) LES TIGES-ENTREPÔTS

Maintenant, arrachons un Trille avec sa racine; les plus habiles pourront s'acharner à déterrer le bulbe de l'Érythrone; on ne peut sortir la plante entière de terre sans en briser la tige. Chez ces deux plantes, comme chez la plupart de celles qui fleurissent au printemps sous bois, avant que les feuilles ne s'étalent, la tige est renflée et chargée de réserves. Ces dernières poussent tôt, hors de leurs boutons, les fleurs qui commencent à mûrir leurs fruits avant que le feuillage n'ait eu le temps de monopoliser la lumière et la chaleur bienfaisantes du soleil. À l'automne, très tard, on peut les récolter sous les feuilles mortes, encapuchonnées dans un large bourgeon, toutes prêtes, leur long sommeil hivernal terminé, à lancer vers le ciel leurs fleurs entr'ouvertes.

Planche 1: Fleur complète: k. sépale (calice), 1. pétale (corolle), m. étamine: anthère (19), filet (20), n. pistil: style (16), stigmate (17), ovule (18), nectaire (21) réceptacle (14), pédicelle (15). — 2. *Germination* du pollen sur le stigmate: ce que deviennent les deux noyaux végétatif et reproducteur. — 3. *Fécondation.* — 4. *Pollen:* son histoire (b. c. d.), ses parties (d. i.), sortes (b. d. g. h. i.), anthère (sac à pollen); structure (c.), comment il s'ouvre (a. c. e. f.) — 5. *Sortes de fleurs* (27-32). — 6. *Diagrammes* (o. o'.): pistil (22), étamines (23) pétales (24), sépales (25), éperons (26). — 7. *Inflorescences:* solitaire (32), ombelles (33-37), épis (34), grappe (35), corymbe (36), ombelle d'ombelles (38), capitule (39), grappe de grappes (40), cyme scorpioïde (41), cyme bipare (42), cyme hélicoïde.

Planche 2: 1. Érythrone d'Amérique. — 2. Asperge officinale (cultivée), a-e; f. variété ornementale. — 3. Maïanthème du Canada, en fleurs et en fruits (rouges); g. fleur. — 4. Clintonie boréale: h. fruits (bleus); i. rhizome. — 5. Smilacine-à-grappe (Faux Sceau-de-Salomon), en fleurs; j. fruits (rouges). — 6. Sceau de Salomon; k. fruits (bleus); l. rhizome.

Planche 3: 1. Zygadène glauque. — 2. Varaire vert; a. fleur; b. fruit. — 3. Uvulaire à grandes fleurs; c. en fruit. — 4. Uvulaire à feuilles sessiles. — 5. Ail des bois; d. en fleurs. — 6. Hémérocalle fauve (Lis d'un jour). — 7. Lis de Philadelphie (rouge). — 8. Lis du Canada.

6. Le Sang-dragon

Deux autres plantes, en fleurs depuis bientôt une semaine, serviront à la présentation de deux autres familles végétales importantes.

La **Sanguinaire** ou **Sang-dragon** a une fleur blanche partant de terre, des étamines nombreuses; regardons de près une fleur en bouton, on voit que le calice ne se compose que de deux sépales qui tomberont bientôt. Si on brise une feuille, elle tachera les doigts. Sans la briser, on arrache la tige rampante, courte, noueuse, qui laisse perler de fines gouttelettes d'un jus rouge vermeil. Sanguinaire, tu portes bien ton nom. Jadis, les Indiens couraient les bois à la recherche de cette plante qu'ils broyaient afin d'en extraire le « sang ». À la veille de leurs grandes fêtes ou de leurs terribles excursions guerrières, il se tatouaient abondamment tout le corps avec le Sang-dragon, ou ils en trempaient leurs tomahawks en signe de déclaration de guerre. Ce lait, ou latex rouge, est aujourd'hui encore employé en médecine: séché et réduit en poudre, il entre dans la composition de tablettes à vertus complexes: digestive, purgative, émolliente.

La Sanguinaire appartient à la famille du **Pavot** (Coquelicot), dont les grandes fleurs rouges, ou blanches au coeur maculé de pourpre, possèdent un jus blanc, puissamment narcotique; on en extrait l'opium et la morphine. La **Chélidoine** (l'**Éclaire**, l'**Herbe-aux-verrues**), appartient aussi à cette famille; son jus est jaune et est aussi considéré comme médicinal. (planche 4)

7. L'Anémone hépatique

On l'appelle en Amérique, **Hépatique à lobes aigus**. Par lobes, on entend les trois grosses dents, arrondies ou pointues au sommet, qui donnent à la feuille de cette plante vue de loin, l'air vague d'un gros trèfle. À cette époque-ci, on ne trouve que les fleurs de nos deux Hépatiques (la seconde: **Hépatique d'Amérique à lobes ronds**), blanches, parfois roses, légèrement violacées ou bleuâtres, portées sur leur queue (pédicelle) lourdement soyeuse. Il est facile de reconnaître la plante par ce seul caractère; au reste, ces fleurs printanières sont accompagnées des feuilles de l'an dernier, encore en bon état. (planche 26)

8. Retour

Nos mains sont pleines de feuilles, mais on n'y voit pas beaucoup de fleurs. C'est mauvais; on fait là, pour la plupart, des récoltes défendues; on agit contre les règles de l'herborisation qui ordonnent de ne récolter les plantes, lorsque cela est possible, qu'en fleurs ou en fruits. Il existe cependant un groupe considérable de plantes inférieures qui n'ont jamais de fleurs proprement dites, tels: les Champignons, les Algues (**Varechs, Sargasse**) et autour de nous, les Fougères, dont certaines conservent leurs feuilles sous la neige jusqu'au printemps. Il y a aussi les courants-verts (**Lycopodes**, avec lesquels on fait de jolies guirlandes qui durent très longtemps). Les **Queues-de-renard** (**Prêles**), dont on peut récolter actuellement une grande et une petite, sont elles aussi classées parmi les plantes sans fleurs; elles se reproduisent par de petits grains d'une poussière dorée ou brunâtre qui tombent par terre et germent: ce sont les spores.

Chapitre 2
L'herborisation et l'herbier

1. Ce qu'il faut savoir pour bien herboriser

A) DÉFINITION ET BUTS

L'herborisation est un ensemble d'opérations et de précautions basées sur l'expérience, permettant à celui qui herborise:

— de connaître les plantes vivantes, avec leurs habitudes de vie et leurs variantes, dans leurs habitats propres, dans leurs rapports avec le milieu et les autres plantes;

— de récolter et de conserver, pour étude postérieure plus adéquate, les échantillons nécessaires;

— de donner une excellente discipline à l'âme et à ses facultés; les plantes prouvent que Dieu est dans ses oeuvres et y donne une foule de leçons; l'herborisation développe l'esprit d'observation et forme le jugement;

— d'accorder une excellente discipline au corps, en le forçant à sortir au grand air, au soleil, à marcher paisiblement dans une nature vierge, parfois accidentée: cet exercice durcit les muscles, aguerrit contre les intempéries, les moustiques, etc.;

— de procurer une récréation saine et instructive, surtout à la jeunesse étudiante durant les vacances; c'est le moins coûteux des sports.

L'herborisation constitue une intéressante occupation au cours des longs loisirs de l'hiver, en permettant d'étudier dans son herbier, la plus belle des collections, ces récoltes auxquelles restent attachés d'aimables souvenirs. Quelle douce consolation que de rappeler au soir de la vie, ces fidèles témoins de notre jeunesse; quelle puissance d'évocation!

C'est le moins coûteux des passe-temps: voyons en effet quel équipement l'herborisation nécessite.

B) ÉQUIPEMENT

L'équipement nécessaire ou utile à l'herborisateur se réduit à:

— une loupe, grossissant 4 à 12 fois; cependant dans la plupart des cas, de bons yeux suffisent à reconnaître les caractères importants;

— un canif, solide, avec anneau et chaîne: cette dernière permet d'éviter bien des oublis;

— un cartable pour les récoltes; il est préférable, à plus d'un point de vue, dans les herborisations ordinaires de nos jeunes naturalistes, aux sacs en plastique de toute grandeur où les fleurs délicates sont brisées par les branches plus robustes ou souillées par la terre des racines.

— Ce cartable se compose de deux forts cartons ou planchettes légères, mesurant 33 × 46 cm, et reliés entre eux ou non sur un côté.

— Les enveloppes des récoltes, qu'on nomme communément chemises, sont des feuilles doubles de papier journal ou de papier blanc (29 × 42 cm) destinées à porter les plantes jusqu'au moment du montage. Une part désigne le contenu d'une chemise suffisant à remplir une feuille d'herbier.

C) DOCUMENTATION

La documentation comporte tout ce qu'il faut inscrire sur l'étiquette d'herbier:

a) Les noms de la plante, — scientifique et vulgaires — que l'on apprend souvent en s'informant auprès des habitants de l'endroit; on peut leur demander aussi si la plante sert à quelque chose; ces notes sont pleines d'intérêt;

b) le nom de l'herborisateur. Si une récolte nous est donnée ou échangée, soyons bien scrupuleux pour indiquer le nom de celui qui a fait la récolte; c'est un devoir de justice qui épargnera toutes sortes de complications, s'il est fidèlement accompli.

c) la date de la récolte. Ex.: 24 juillet 1975 ou 1975-07-24 ou 75-07-24;

d) le nom précis du lieu de la station où le spécimen est récolté, avec points de repère constants. Ex.: Embouchure de la Rivière-aux-Serpents, Oka, Cté de Deux-Montagnes, Québec, Canada. — Île Décary, Québec, ou Canada ne suffirait pas;

e) des remarques sur la nature de l'habitat, la rareté ou l'abondance de l'espèce, sur tous ces caractères qui disparaîtront avec le pressage ou le séchage des spécimens. Le croquis et les photos enrichissent grandement la documentation.

Cette documentation peut s'écrire sur la chemise même ou sur une étiquette temporaire. D'autres préfèrent n'écrire sur la chemise qu'un numéro de récolte et, dans un calepin, toute la documentation; attention de ne pas perdre le calepin! Lorsqu'on récolte à une même station plusieurs spécimens d'une même espèce, il suffit d'écrire la documentation entière une fois; sur les chemises des récoltes doubles, on ne répète que le numéro de la récolte ou on adopte un signe conventionnel, soit une lettre ou un chiffre.

f) le cartable est tenu fermé par une courroie ou une solide corde. On peut lui ajouter une ou deux bretelles, afin de faciliter la marche;

g) des sacs, enveloppes, petites bouteilles contenant formaline à 4%, sont utiles pour la récolte des fruits ou des graines, des plantes de très petite taille ou de celles que l'on veut conserver à l'état frais;

h) des vêtements, chaussures, chapeau de circonstance: vieux, légers et solides.

D) OÙ ET QUAND HERBORISER?

La plante doit être récoltée, autant que possible en fleurs et en fruits. Beaucoup d'espèces portent en même temps des fleurs et des fruits.

D'une façon générale, donnons quelques conseils au débutant.

a) Commencer par herboriser tout autour de la maison, avant de perdre un temps précieux pour atteindre des lieux reculés.

b) Repasser plusieurs fois au même endroit, afin de récolter les mêmes plantes en fleurs et en fruits; certaines espèces fleurissent plus tard dans la saison.

c) Au printemps, depuis la mi-avril, il convient de fouiller les bois et les buissons; en juin, juillet, août et septembre, visiter les lieux découverts; à l'automne, repasser dans la forêt.

E) COMMENT HERBORISER? (MÉTHODES D'HERBORISATION).

— **VOIR**. Regarder les plantes une à une, de près. « Regardez-en moins, vous en verrez plus ». De temps à autre, jeter un coup d'oeil, à distance, sur ce qui vient. Ne pas marcher trop vite, mais voir vite. Chercher partout, car certaines plantes se cachent.

— **DISTINGUER** ce qui appartient à la nature de la plante de ce qui lui est accidentel. Discerner les ressemblances et les différences essentielles, héréditaires, de celles qui sont acquises, passagères, sans quoi, vingt fois on récoltera la même chose, ou bien, en toute rencontre, on laissera passer des raretés avec une imperturbable tranquillité, se contentant de dire: « Je l'ai, celle-là! ou « Je dois l'avoir, celle-là! »

— **ÉTUDIER** rapidement la plante, avant de l'arracher et de l'enfouir dans son cartable; c'est le but premier de l'herborisation. Essayer de nommer la forme de la feuille et la qualité de son contour; de reconnaître ce qu'il y a à l'intérieur de la fleur ou du fruit (nombre, position, couleur, taille des organes). Au besoin, couper une fleur ou un fruit sur le long et sur le large, fleur que l'on conserve dans la chemise. Prendre note, en plus, de tout ce qui doit servir à la documentation.

— **RÉCOLTER** les spécimens dont on a besoin:

a) nombreux, sans gaspillage; ne pas enlever tous les représentants d'une colonie de plantes, ne jamais détruire une station sans nécessité;

b) complets, le plus souvent, — avec organes souterrains, à l'exception des plantes rares (Orchidées) — portant fleurs ou fruits; la récolte des feuilles et des fruits tombés, prête à mélanges. On peut récolter les arbres seulement avec les feuilles et un morceau d'écorce.

Les plantes ligneuses ou herbacées, mesurant plus d'un mètre de longueur, sont coupées en parts (tronçons) bien représentatives (long. 30-36 cm). Pour les grandes plantes herbacées, il faut récolter le tronçon de la base portant la racine; tout au moins, doit-on presser quelques feuilles de base lorsqu'elles diffèrent des feuilles de la tige. Les rosettes de feuilles, lorsqu'elles sont présentes doivent être pressées avec les tiges fleuries.

c) beaux, normaux, propres, bien étalés, bien taillés:

— normaux, ni trop brisés, ni déformés par des causes accidentelles; les monstres sont parfois intéressants.

— propres: nettoyer les racines;

— bien étalés: il faut disposer le spécimen récolté, à l'intérieur de la chemise, de façon à lui conserver son port naturel, à éviter la fermentation en isolant les organes. Certaines plantes délicates devront être étalées immédiatement (Dicentra); d'autres plus résistantes, pourront attendre avantageusement (Caltha); en général, on n'ouvre pas le cartable pour chaque plante que l'on récolte. Les spécimens ne doivent pas dépasser 36 cm de long; on tronçonne, on plie une fois ou deux les tiges trop longues pour ne pas les briser en les pliant, on les écrase et on les tord légèrement dans les plis.

— bien taillés: lorsqu'il y en a trop, on enlève un certain nombre de feuilles, de fleurs ou de fruits, pour bien mettre en évidence toutes les parties de la plante; cela facilite aussi grandement le pressage et le séchage. Il convient de laisser quelque trace de l'organe enlevé.

F) RÉCOLTES SPÉCIALES

— Algues: en bouteilles dans la formaline à 4%.

— Champignons, Lichens et Hépatiques: sous enveloppe, très faiblement pressés, mais rapidement séchés (Champignons); aussi dans la formaline à 4%.

— Mousses: sous enveloppe; léger pressage.

— Aiguilles de Conifères, graines et petits fruits détachés: sous enveloppe.

— Cônes, écorces épaisses et gros fruits: dans des pochettes ou des sacs de papier.

— Plantes aquatiques supérieures (Potamot, Cornifle, Myriophylle, Utriculaire). On glisse dans l'eau une chemise sous le spécimen déraciné et flottant librement; on tire obliquement la feuille hors de l'eau, en pressant le sommet de la plante contre la feuille.

— Fleurs isolées, bien étalées ou disséquées, que l'on fait adhérer à un bout de papier mouillé (insalivation).

— **METTRE EN BALLOTS** de 50 à 80 chemises, les récoltes du cartable; dans les grosses herborisations, on fait facilement un ballot par station; on protège les plantes de l'extérieur par 2 buvards ou par des chemises vides.

MAI

Chapitre 3
La flore de mai

En mai, il faut récolter la Sanguinaire, l'Anémone Hépatique, l'Érythrone et les Trilles. C'est sur les pentes ombragées des bois qui commencent à se vêtir de feuilles, qu'on en rencontre encore de beaux spécimens fleuris. Arrachons-en suffisamment pour faire deux parts de chaque espèce. Il faut 2 Trilles, 5 Érythrones, 4 Sanguinaires, 3 Hépatiques pour faire une bonne part. Ne soyons pas mesquins, ne récoltons point des « parts de quêteux » qui ne rempliront pas la moitié d'une feuille d'herbier. Il faut compter avec le séchage et le pressage durant lesquels plusieurs plantes se gâteront. Ces plantes étaient difficiles à sécher. Pour y réussir, il faut séparer par des petits morceaux de papier journal la fleur des feuilles et les feuilles de la tige, étaler le spécimen dans une pose naturelle. Si l'oignon est trop épais, le réduire de moitié du côté à coller sur la feuille d'herbier.

Parmi les arbres, deux autres sont en fleurs: l'Érable à Giguère et l'Érable à sucre. On présentera nos Érables lorsqu'ils seront bien en feuilles, en juin. Les Bouleaux à écorce blanche et les Merisiers dont l'écorce a quelque chose à la fois de soyeux et de métallique sont aussi en chatons maintenant. Les perdrix, l'hiver, se nourrissent des graines du fruit des Bouleaux et des Merisiers.

1. De nouvelles inconnues

A) LES COEURS-SAIGNANTS SAUVAGES

Les yeux ne manquent point d'être attirés par des feuilles d'une très grande richesse de formes et parcourant toute la gamme des verts. Mais attention, il ne faut récolter que les plantes fleuries. Les fleurs blanches sautent aux yeux tout d'abord. Si le bois où nous herborisons a un sol calcaire (riche en chaux) et rocheux, nous rencontrerons peut-être deux jolies petites Dicentres. Les Anglais appellent la première Dutchman's Breeches (Culottes de Hollandais). Elles appartiennent à la famille de nos Coeurs-saignants cultivés. (planche 4)

B) LE GINGEMBRE SAUVAGE

Autant les « Culottes de Hollandais » ont une feuille en fine dentelle, autant l'**Asaret** (Gingembre) a une feuille entière largement cordée (forme de coeur), ou réniforme, satinée, avec de petits cils sur le contour. Entre les deux feuilles dont la longue queue (pétiole) va jusqu'à terre rejoindre la tige rampante, il y a une petite fleur rouge à l'intérieur et dont le pistil est enfoui en grande partie dans les tissus. Cette originale appartient à la famille de l'**Aristoloche**, plante souvent cultivée aux fleurs remarquables en forme d'oiseau ou de pipe à tabac. La racine de notre Gingembre est aromatique, stimulante, fébrifuge; on l'emploie aussi contre la coqueluche, etc. (planche 24)

C) LE BOIS DE PLOMB

Depuis longtemps, on aurait dû présenter la Dircée des marais (Bois de plomb, Bois cuir), arbuste de 1 à 2 mètres de hauteur, dont l'écorce fibreuse et très forte est d'un beau jaune bronzé. On sait quel puissant laxatif se trouve dans cette écorce, se dissolvant dans de la trempette d'érable. Le Bois de plomb appartient à la famille du Daphné.

Planche 4: Ménispermacées: 1. Ménisperme du Canada. — **Berbéridacées**: 2. Podophylle pelté. — 3. Léontice faux-Pigamon. — 4. Épine-vinette. — **Lauracées**: 5. Benzoin. — **Papavéracées**: 6. Sanguinaire. — 7. Chélidoine. — 8. Pavot. — **Fumariacées**: 9. Dicentre cucullée. — 10. Coeurs-saignants cultivés. — 11. Corydalis rose.

D) LA DENTAIRE

Voici une nouvelle famille très importante, celle des Crucifères (qui portent des croix). Les fleurs de cette famille au nom expressif, ont les pétales et les sépales, au nombre de quatre, opposés en forme de croix. Il est facile de les reconnaître par ce seul trait. Un second caractère excellent se tire des étamines; il y en a six dans chaque fleur, quatre longues alternant avec deux petites. Toutes nos Crucifères ont les fleurs jaunes ou blanches, une seule légèrement rose. Famille très importante pour les amateurs de légumes, puisque les Choux, Choux-fleurs, Choux-raves, les Radis, les Navets, les Moutardes, les Cressons, etc. appartiennent à cette famille. La Dentaire se reconnaît par sa fleur blanche et grande (diamètre 1-1,5 cm) et sa feuille composée de trois grosses folioles à larges dents. La tige souterraine (rhizome) est fortement épicée: quelque chose du goût de la Capucine; on s'en sert comme de poivre ou de moutarde. Il y a trois espèces de Dentaires qui diffèrent par la fleur, la feuille et surtout la racine. (planche 27)

2. Les foins

On donne ce nom vulgaire à une foule d'herbes de nature très différente; trois familles de plantes sont comprises sous ce nom: les **Graminées**, les **Cypéracées** et les **Joncs**. Certaines Cypéracées fleurissent actuellement dans les bois, ce sont des Laîches ou Carex.

Autant les Cypéracées (foins de renard, de castor, herbes coupantes) sont pauvres comme plantes fourragères, autant les Graminées, qui renferment nos céréales, sont riches. On distingue les premières par leur tige pleine, souvent triangulaire (à trois côtés), par leurs feuilles disposées sur trois rangs verticaux, par leurs étamines dont les sacs sont soudés aux filets par leur base. Les Graminées, au contraire, ont des tiges vides (chaumes), le plus souvent rondes, leurs feuilles sont sur deux rangs et leurs étamines à sacs dorsifixes, fixés par le dos à leur filet.

3. Les Liliacées

Les Liliacées qui nous ont si intéressés dans un chapitre précédent continuent à fleurir dans les bois. Dans les érablières, nous rencontrons l'**Uvulaire à grande fleur**, remarquable par ses fleurs jaunes, pendantes — ressemblant de loin à celle de l'Érythrone, — dont la tige et les rameaux passent à travers le limbe des feuilles (perfoliées). En mai et juin, d'autres espèces, tels les **Sceaux de Salomon**, la **Clintonie boréale** et la **Fleur de mai du Canada (Maïanthème du Canada)**. La dernière nous frappera, dans les forêts mêlées de conifères, par ses petites grappes denses de fleurs d'un blanc éclatant. Si on compte les pétales et les sépales, nous n'en trouverons que quatre au lieu de six (deux avortent). La Clintonie ressemble à une Orchidée par ses feuilles larges, elliptiques, charnues; mais sa fleur régulière est jaune verdâtre et son fruit bleu et charnu, tels ceux de la famille du Lis. (planches 2, 3 et 22)

4. Vue d'ensemble sur la famille du Lis

Contraints d'abandonner cette énorme famille de 233 genres et de plus de 3 460 espèces dont un grand nombre sont ornementales, caractérisons très brièvement chaque genre que nous rencontrerons bientôt dans nos bois.

Nous avons déjà fait connaissance avec l'Érythrone, les Trilles, la Clintonie, l'Ail et ses frères odorants, l'Uvulaire et le Maïanthème. Voyons maintenant:

a) **Sceau de Salomon**: fleur en forme de clochette, les pétales et les sépales étant soudés bord à bord; le rhizome blanc est marqué de cicatrices annuelles, imitant l'empreinte que ferait un sceau; fruit charnu bleu. Bois riche. Juin. (planche 2)

b) **Faux Sceau de Salomon**: ressemble extérieurement au précédent, mais les fleurs, petites, à pétales et à sépales non soudés, sont groupées en une large grappe composée, située au sommet de la tige ou terminale; son rhizome est jaune-rougeâtre; son fruit charnu est rouge. Le vrai nom de cette plante à tige non ramifiée, penchée, à feuilles disposées sur deux rangs est la **Smilacine à grappe**. Sur les grèves sablonneuses, en juin, on rencontre la **Smilacine étoilée**, plus petite, dont les fleurs forment une grappe simple. Dans les tourbières, on rencontre la **Smilacine à trois feuilles**. (planche 2)

c) **Streptope rose**, ou Rognons de Coq, tige ramifiée, dont les fleurs rosées et les fruits accrochés à chaque feuille ressemblent à ceux des Smilacines. Sous-bois. Mai-juin. (planche 22)

d) **Médéole de Virginie** (Concombre sauvage): rhizome blanc, charnu, pourpre foncé. Bois riche en humus. Juin. (planche 22)

e) **Lis du Canada**, une de nos plus belles Liliacées à fleurs nombreuses, d'un jaune orange, tachetées de brun; feuilles verticillées (plusieurs à un même noeud). Juillet. Plus rare est le **Lis de Philadelphie**, à fleurs rouges. Juillet. Le **Lis tigré** (martagon) s'échappe parfois de culture. Des 65 espèces cultivées, c'est le seul à pouvoir endurer, sans protection, nos hivers canadiens. (planche 3)

f) **Asperge** cultivée que chacun connaît, se rencontre aussi échappée de culture. Ce genre compte 150 espèces dans le monde entier. (planche 2)

g) **Smilace herbacée** (Raisin de couleuvre) est une plante grimpante, avec des fleurs fétides et des fruits bleus groupés en boules. Bois et buissons. (planche 22)

Pour terminer, disons que la famille du Lis renferme les genres cultivés importants suivants: **Tulipe** (50 à 60 espèces), **Colchique** (30 espèces), **Ornithogale** (100 espèces), **Scille** (80 espèces), **Hyacinthe** (30 espèces), **Aloès**, **Muguet**, **Fritillaire**, etc.

5. Le Narcisse et l'Iris

Le **Narcisse des poètes**, tout blanc avec sa petite couronne de couleur, et le **Narcisse jaune** (Jonquille) sont connus de tous; ils appartiennent à une famille toute voisine de celle du Lis, portant six étamines et une seule corolle soudée en tube et surmontée d'une couronne; l'ovaire de la fleur est inférieur (enfoui dans les tissus). Plus de 86 genres et 1 300 espèces forment cette famille des **Amaryllidacées**.

La famille des **Iridacées**, aussi considérable que celle du Narcisse, renferme les **Glaïeuls** dont on cultive des centaines de variétés. Dans notre flore, deux genres sont importants: (planche 22)

a) **L'Iris bleu** ou versicolore (Fleur de Lys), que les gens des campagnes nomment glajeux. C'est l'ornement des marécages, poussant en touffe ses grandes fleurs d'un beau bleu violet panaché de jaune; les feuilles sont en épée. Mai-juillet. Le rhizome de cette plante, à petite dose, serait vermifuge, cathartique et diurétique.

b) Les **Bermudiennes**, que les Anglais appellent « Blue-eyed-Grass » ou la Fleur aux yeux bleus — c'est très gentil — ont des feuilles étroites comme celles des Graminées et une fleur bleue avec un coeur jaune doré.

6. Famille de l'Épine-vinette

L'**Épine-vinette**, qui se taille si bien en haie vive, armée d'aiguillons et balançant en juillet ses petits fruits rouges, est très redoutée dans l'ouest du Canada à cause de ses méfaits. Elle donne en effet l'hospitalité à un parasite par trop fameux, la Rouille du blé, qui s'attaque périodiquement à nos récoltes et en détruit à certaines années une large part. Cette maladie, ainsi que le charbon, la carie, les moisissures, les pourritures, les gales, que l'on voit sur les légumes et les fruits est causée par des champignons microscopiques, plantes sans fleur, sans racine, sans feuille ni tige proprement dites.

À cette saison dans les bois, on rencontre en fleur, à côté de vieilles tiges mortes portant encore un ou deux gros bleuets, le « **Léontice à feuilles de pigamon** »; il est remarquable par ses folioles encore enroulées d'une couleur brune violacée. Cette plante est vénéneuse et d'autant plus dangereuse que son fruit ressemble à un gros bleuet. (planche 4)

7. La Violette

Elles commencent à fleurir, les petites soeurs sauvages de nos grandes **Pensées** cultivées. On les reconnaît facilement; leurs fleurs, bien que plus petites, sont formées des mêmes pièces que la pensée des jardins, la **Violette tricolore**.

Nos poètes, qui ne connaissent que nos violettes violettes — car il y a aussi des violettes jaunes et des blanches, feront bien de ne pas trop chanter l'exquis parfum de ces humbles petites violettes qui fleurissent actuellement sous bois et dans les prairies humides. Elles sont parfaitement inodores ainsi que les violettes jaunes; seules les blanches sont parfumées. Malheureusement, elles sont si petites.

Pour terminer, classons les violettes les plus communes:

A) VIOLETTES À FLEURS VIOLETTES:

— **V. septentrionale**, tige courte, toutes les feuilles et les fleurs partent de terre. Cette espèce fraternise avec Viola sororia dont le fruit est ovoïde et le pétale éperonné, presque glabre.

— **V. rampante**, plus petite que la précédente; sa tige allongée porte les feuilles.

B) VIOLETTES JAUNES:

— **V. pubescente** (pubescent: couvert de poils courts et nombreux); tige solitaire; feuilles de la tige s'insérant entre deux bractées larges; feuilles de la base rares ou absentes.

— **V. ériocarpe**, à tiges (2-5) groupées avec feuilles partant de terre, nombreuses; les deux petites folioles à la base des feuilles de la tige sont étroites: ce sont des stipules.

C) VIOLETTES BLANCHES:

— **V. pâle**, à feuille ronde et très glabre; odorante, lieux humides.

— **V. agréable**, à feuille cordée, légèrement pileuse; dans les prairies humides.

— **V. du Canada**, est blanche, veinée de pourpre; la plus grande (15 à 46 cm) de nos violettes; elle fleurit jusqu'aux neiges, l'automne.

— La **pensée cultivée** ou Violette tricolore; nombreuses variétés commerciales.

Chapitre 4
Le pressage et le séchage des récoltes

1. Conservation des récoltes

La conservation des récoltes dépend largement du pressage et du séchage.

— Le pressage permet aux plantes récoltées d'être classées dans le moins d'espace possible, tout en conservant le plus les apparences de la vie.

— Le séchage empêche les fermentations qui décolorent ou noircissent les tissus et tue les moisissures qui détruisent tout.

MÉTHODE SIMPLE DE PRESSAGE ET DE SÉCHAGE

a) On sèche les plantes en glissant, sous chaque chemise, un coussin absorbant fait de plusieurs feuilles de papier journal (non glacé) ou de papier buvard épais. Sur les feuilles, de chaque côté des organes trop épais, on ajoute des morceaux de buvard afin de protéger les organes et les plantes voisines.

La presse la plus primitive semble être la meilleure: elle peut se composer d'une planche (45 × 30 cm) et dessus, d'une pesée (pierre, brique, sable, etc.) de 20 à 40 kg. Le premier coup de presse dure de 8 à 12 heures; après quoi, on ouvre et aère les chemises et les buvards. On remplace les buvards humides par d'autres bien secs, remettant ensuite sous presse les spécimens qui n'ont pas encore fini de sécher. D'ordinaire, le séchage dure 2 à 15 jours. La plante sèche devient dure et cassante; impossible d'enfoncer l'ongle dans sa tige sans bruit ou d'en faire sortir de la sève.

b) On abrège le temps du séchage:

— en se servant de cartons ondulés que l'on introduit entre chaque buvard, après le premier coup de presse; l'ondulation de ces cartons (45 × 30 cm) doit courir dans le sens de la largeur. Le paquet bien équilibré et attaché est placé dans un courant d'air sec, froid ou chaud;

— en utilisant un séchoir électrique. Cette méthode permet de combiner le pressage et le séchage. Dès le retour d'une herborisation, placer les plantes dans des chemises, tel qu'expliqué précédemment. Introduire les récoltes dans une presse faite de deux planches de contre-plaqué en procédant dans l'ordre suivant: déposer une des planches de contre-plaqué à plat sur une table; placer dessus un carton ondulé, puis un buvard et une première chemise; continuer avec un autre buvard, un carton ondulé, un buvard, une deuxième chemise; poursuivre l'alternance des cartons, des buvards et des chemises jusqu'à ce que toutes les récoltes soient introduites dans la presse. Terminer le ballot par l'autre planche de contre-plaqué et serrer énergiquement le tout à l'aide de deux courroies. Déposer la presse sur un séchoir électrique de manière à ce que les cannelures des cartons soient dans une position verticale et fassent autant de petites cheminées où l'air pourra circuler. Il est facile de fabriquer en contre-plaqué un séchoir simple mais efficace. Il consiste en une boîte sans fond, mesurant 60 cm de hauteur sur 47 cm de longueur à l'intérieur et 38 à 40 cm de largeur. On soulève la boîte du plancher de 3 — 5 cm en lui fixant des pieds ou des blocs aux quatre coins. À l'intérieur, à 5 cm du sommet, on cloue une tringle à chaque bout de la boîte pour supporter la presse. L'unité de chauffage du séchoir consiste en deux ampoules électriques de 60 watts, montées en série sur une planche de bois d'environ 35 cm de longueur et reliées par un fil à une prise de courant. On dépose cette unité sur le plancher au milieu du séchoir et la chaleur dégagée par les ampoules allumées est suffisante pour assurer un bon fonctionnement. Après une journée au séchoir, on inspecte la presse et on en retire les spécimens secs. Les autres sont remis en séchoir jusqu'à parfaite dessication. Si la presse n'occupe pas toute la surface du séchoir, boucher les espaces libres avec du carton ou des planchettes pour que l'air ne circule que par les cannelures des cartons.

2. Les feuilles sortent

Ces petites maisons que sont les bourgeons au bout des branches où les feuilles pliées, enroulées ou ratatinées se cachent pour passer l'hiver, ont éclaté et ont laissé leur contenu s'étaler en liberté. Les bourgeons des plantes annuelles, cédant sous la poussée des tiges grandissantes, s'érigent du sol comme de petits bras, parfois coiffés d'une « tourmaline » de feuilles mortes, ou piquant au travers de ces dernières, afin de s'en faire des colliers. Les petits poings fermés s'ouvrent de mille manières pour se tendre vers nous, en nous montrant l'élégance de leurs plis, en tous les cas, vers le soleil qui leur procure la vie et la beauté. Il faut les voir de près.

UN ORGANE TRÈS IMPORTANT: LA FEUILLE

On a déjà parlé de plusieurs organes: des racines, des tiges et des fleurs; il nous faut voir maintenant les feuilles, puisqu'elles sont sorties. Impossible de lire un livre de botanique intelligemment, si l'on ignore ce que veulent dire les qualificatifs attribués aux feuilles. Impossible de distinguer sur-le-champ les plantes, si on ne sait pas en reconnaître les formes importantes.

Regardons les choses: c'est plus court et plus clair que les paroles. Qu'on se souvienne qu'une feuille complète se compose lorsqu'elle est normale, d'une lame (limbe) ou partie aplatie le plus souvent verte, reliée à la branche, à la hauteur d'un noeud, par une queue (pétiole) élargie à sa base en une gaine (planche 5 a b et c). Les différences importantes, pour le botaniste, sont de trois points de vue:

— différences si on considère la forme du limbe (lame), la feuille peut être ronde, triangulaire, ovale, etc. (planche 5, fig. 1-18);

— différences si l'on considère le bord (contour) de la feuille; alors (planche 5, fig. 19-33) on peut avoir une feuille; entière, dentée, lobée, etc.;

— différences si l'on considère les nervures (vaisseaux de la sève circulant dans le limbe), la feuille peut être: uninerve (une nervure), à nervures parallèles, pennées ou palmées, etc. (planche 5, fig. 1-13).

Ne manquons pas de comparer les feuilles récoltées avec celles dessinées et de trouver un nom pour chacune. Apprenons ces noms, — ils sont si peu nombreux, — sur le bout des doigts.

3. Mitrelle et Tiarelle

Tout en récoltant notre collection de feuilles qui doit compter au moins une trentaine de feuilles différentes pour être complète aux points de vue forme, contour, nervures, nous ne manquerons pas de remarquer, sous bois, deux charmantes petites plantes se ressemblant comme deux soeurs; elles ont en plus de l'air de famille maints traits de ressemblance. Depuis le départ des neiges, la **Tiarelle** et la **Mitrelle** s'empressent de fleurir au milieu de leurs feuilles de l'an dernier (long. 7-12 cm) finement poilues, en forme de coeur à contour denté, reposant à plat sur le sol au bout de leurs longs pétioles

Parties d'une feuille

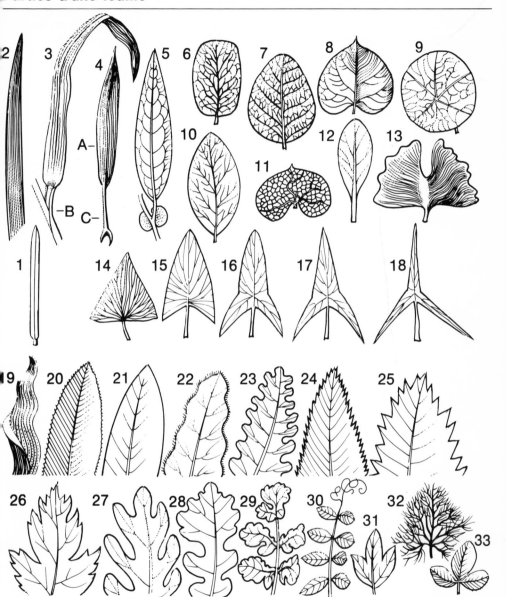

Planche 5: Forme du limbe: 1. En aiguille. — 2. en épée. — 3. en ruban. — 4. et 5. lancéolé. — 10. elliptique (ovale). — 6. oblong. — 7. ové. — 8. en coeur (cordé). — 11. en rein (réniforme). — 14. triangulaire. 15, 16, 17, 18. sagitté et hasté (variantes). — 9. rond. — 12. spatulé. — 13. triangulaire-bilodé. — **Nervures:** 1. n. unique. — 2, 3, 4. n. parallèles. — 5, 6, 7, 8, 10. n. pennées. — 9. n. palmées. — 11. n. réticulées (en dentelle). — **Contours du limbe:** 19. crépu. — 20. scabre (feuille coupante). — 21. entier. — 22. ondulé, avec des cils (cilié). — 23. crénelé. — 24. serré (dents de scie). — 25. denté. — 26. incisé (lobédenté). — 27. lobé. — 28. lyré (lobé avec un gros segment terminal). — 29. partit ou fide (très profondément lobé). — 30. séqué ou composé (les folioles du haut se sont transformées en vrilles). — 31. trilobé. — 32. composé (réduit à ses nervures). — 33. composé (à 3 folioles).

(queues). Elles ont dû certainement nous intriguer, avec leurs airs d'immortelles. Mais aujourd'hui nous sommes bien récompensés d'avoir attendu; car les tiges finement dressées de la Mitrelle et de la Tiarelle se sont couronnées chacune d'une grappe de fleurs blanches exquises, ayant présentement la forme d'une mitre, d'une tiare. Quoique certains auteurs affirment que leur nom fut donné à cause de la forme de leurs fruits, l'appellation convient merveilleusement à leur inflorescence encore jeune. Regardons bien ces fleurs de près. Surtout celles de la Mitrelle qu'on reconnaît par ses deux feuilles fixées sur la tige, haut de terre, et opposées. Voyons avec quelle délicatesse sont frangés les pétales de cette fleur qui ressemble à un fin cristal de neige. Ces deux plantes nous introduisent dans une nouvelle famille: celle des **Saxifrages**, ainsi appelée parce que, croyait-on, ces plantes brisaient les roches; à tout le moins, les Saxifrages aiment-ils à croître en bordures des rochers. On a laissé passer sous silence l'humble **Dorine**, de la famille des Saxifrages elle aussi, qui est, sans contredit, une des premières plantes herbacées à fleurir au printemps en même temps que l'Aulne; on la rencontre formant tapis sur les bords des ruisseaux ou dans les pâturages temporairement inondés; sa fleur est verdâtre et n'a de remarquable que ses étamines saumonées.

4. L'Oignon sauvage — Jack in the pulpit

Avant de quitter définitivement le bois, rencontrons une sorte de sentinelle sombre faisant le guet dans une guérite verdâtre en dehors, rayée d'un violet noirâtre à l'intérieur, dans le sens de la longueur. Mais la forme de cette fleur qui, en réalité, n'est qu'une large enveloppe membraneuse (spathe) cachant une grappe de fleurs mâles ou femelles, ressemble plutôt à une chaire recouverte d'un large abat-voix. Les botanistes américains du siècle dernier, en bons puritains, on vu leurs ministres prêcheurs dans cette petite colonne violacée dressée au centre de la spathe et portant les fleurs. Irrespectueusement, ils ont nommé la plante « the Jack in the pulpit ». Allons à la planche 6 pour faire connaissance avec les autres représentants de cette famille des **Aracées** qui renferme les grands **Pieds-de-veau** que nos fleuristes vendent sous le nom de **Calla** et que tant de nos jeunes mariées portent fièrement au pied des autels, convaincues qu'elles sont chargées de Lis.

5. Le Populage des marais

Sortant du bois et se dirigeant vers un marécage ou un ruisseau, de très loin les yeux seront attirés par d'énormes Boutons-d'or: c'est le **Populage**, le **Marsh Marygold** des Anglais, important avec ses tiges épaisses et ses feuilles en forme de rein, crénelées, les supérieures presque sessiles (sans queue). Les gens de la campagne appellent encore cette plante « **Souci d'eau** et **corbeille d'or** », au dire de notre bon vieux Provancher (*). Examinons la fleur, nous verrons que c'est bien, dans l'ensemble, celle de l'hépatique que nous avons rencontrée, de bonne heure en avril. Nous revenons à la famille des **Renonculacées** très importante dans nos régions tempérées et arctiques. (planche 7)

6. La famille des Renoncules

Plantes surtout herbacées à jus incolore et âcre. La fleur typique de cette famille est complète, régulière, à pièces libres; mais il y a des exceptions difficiles à classer. Fruit sec ne s'ouvrant pas (akène) ou s'ouvrant par une fente (follicule), parfois charnu (baie). Voyons rapidement les principaux genres.

(*) Provancher. L'abbé Léon Provancher est l'auteur de la première Flore publiée au Canada. Son ouvrage devenu d'une grande rareté s'intitulait: *Flore canadienne ou description de toutes les plantes des forêts, champs, jardins et eaux du Canada*. Joseph Darveau, imprimeur-éditeur, 2 volumes, 842 pages (1862).

Planche 6: Aracées: 1. *Calla des marais*, a. fl. et fr. — 3. *Belle Angélique* (Acore aromatique), c, tige rampante. — 5. *Arisème atrorouge*, f. inflorescence femelle, g. en fruits; , coupe du fruit: i. inflorescence mâle en fleurs. — **Lemnacées**: 2. *Lenticule mineure*, b. eur. — **Pontédériacées**: 4. *Pontédérie cordée*, d. base de la tige; e. coupe longitudinale de a fleur. — **Ériocaulacées**: 6. *Ériocaulon septangulaire*, k. tige grossie, j. fl. mâle, l. fl. femelle.

A) LES CLÉMATITES

Sorte de vigne grimpante, à feuilles opposées, nous en avons deux espèces:

A) 1. **C. verticillée,** à fleurs violacées, solitaires; 2. **C. de Virginie,** à fleurs blanches en grappe. Les fruits sont remarquables par leurs longs styles plumeux

B) Les **Colombines.** Plusieurs sont cultivées et facilement identifiées grâce aux 5 éperons qui leur ont fait donner, du moins à notre espèce indigène, le nom de **« Gants de Notre-Dame ».** Avouons-le, notre Colombine du Canada, sauvage coquettement fleurie au flanc des rochers ou sur quelque bloc erratique, est de beaucoup la plus belle, avec sa fleur rouge feu à gueule jaune. Les **Dauphinelles** **(Pieds-d'alouette)** sont bleues et n'ont qu'un éperon.

C) Les **Pigamons.** L'un d'eux fleurit actuellement, dont la feuille est composée d'innombrables petites folioles arrondies et dont les fleurs sont unisexuées; tandis que certains pieds sont mâles, leurs fleurs ne renfermant que des étamines qu pendent lourdement, d'autres sont femelles, portant de petits carpelles indépen dants. Plusieurs espèces sont cultivées.

D) **Fleurs jaunes.** Il y a le groupe des fleurs jaunes, composé principalement des **Renoncules,** à feuilles très découpées, à cinq sépales jaunes, creusés d'une fossette portant écailles à la base. Le **Populage** que nous connaissons maintenan et dont la fleur voyante est composée des sépales, les pétales étant absents.

E) **Fleurs blanches.** Il y a le groupe enfin des fleurs blanches. 1. **Anémones** Certaines, cultivées, ont des fleurs de couleur, mais nos indigènes sont blanches ou blanchâtres. **A. du Canada, A. cylindrique** et **A. de Virginie** ne fleuriront qu'er juin et juillet. 2. La **Savoyane** dont la racine jaune or est un apéritif puissant et don on fait un sirop contre les bronchites. Le vrai nom de cette petite plante, à feuilles à trois segments et à fleurs étoilées, est aujourd'hui **Coptide du Groenland. 3** **Actées:** une à fruit rouge **(A. rouge)** et une à fruit blanc **(A. blanche),** dans les bois vers septembre; attention, ces fruits sont vénéneux.

Passons sous silence les plantes sauvages trop rares ou à fleurs verdâtres qu n'intéressent guère le botaniste amateur d'une saison. Qu'il suffise de mentionne parmi les plantes cultivées appartenant à cette famille: la **Pivoine** qui est une reine l'**Adonis,** la **Nigelle,** le **Cimifuge,** l'**Aconit** et plusieurs espèces d'anémones, d renoncules, de Pigamons et de Clématites aux fleurs merveilleuses. (planches et 26)

JUIN

Chapitre 5
Une gerbe de fleurs

1. Le Pissenlit

Excellente salade, apéritive avec son petit goût suret. Mais encore une fois, observor les feuilles et nous remarquerons des variations, suffisant à subdiviser cette vast espèce en plusieurs variétés.

La famille du Pissenlit est celle des **Composées**, ainsi désignée parce que le fleurs y sont très petites, en forme de petit tube à dents ou à languettes serrées les une contre les autres sur un disque plat ou bombé et imitant une grosse fleur.

Ainsi, prenons une grosse fleur de pissenlit et brisons-la en morceaux avec no doigts, nous verrons qu'elle se compose en réalité de centaines de petites unités, q sont au fond les vraies fleurs, ayant un pistil et cinq étamines, dont les sacs soudés bor à bord forment un manchon au travers duquel le stigmate doit frayer son chemin et s saupoudrer abondamment de grains de pollen qui assureront la fécondation.

Cette famille des **Composées** est colossale et elle nous occupera, à elle seule, to l'automne; c'est la famille des **Marguerites**, des **Chrysanthèmes**, des **Dahlias**, de **Asters**, des **Vergerettes**, des **Verges-d'or**, des **Chardons**, des **Immortelles**, etc. Nou classerons toutes ces célébrités dans leur vrai cadre, à l'automne. (planches 12, 35, 3(37, 38)

2. La Bourse-à-pasteur

Une autre introduite, tout près de nos demeures, est la **Bourse-à-pasteur**, de la famill des Crucifères. Elle fut ainsi dénommée, non pas parce que son fruit a quelqu ressemblance avec la bourse du grand Pasteur, bactériologiste, mais bien parce qu imite étrangement la petite sacoche que les pâtres et les bergers d'Europe porter suspendue à leur ceinture. Le fruit de cette plante a en effet la forme très curieuse d'u petit triangle à base arrondie et à côtés convexes dans le sens de la largeur. Mai attendons que la Moutarde soit en fleur, avant d'étudier plus à fond cette important famille, dont il a déjà été question.

3. Les premières Rosacées

Laissons de côté l'épineuse discussion qui cherche à décider si la reine des fleurs est l rose. Il demeure avéré que dans le Québec, les plantes appartenant à la famille de l rose sont très importantes, tant parmi les plantes indigènes (**Aubépine, Ronce, Fraisier Prunier, Benoîte, Aigremoine, Potentille, Petites poires, Cerisiers**, etc.), que parm les cultivées (**Rosier, Pommier, Prunier, Fraisier, Framboisier**, etc.).

La première à fleurir, à nous saluer par conséquent est la petite fraise des champs que l'on rencontre en si grande abondance sur les terrains sablonneux. Elle se multipli beaucoup plus rapidement par ses longs courants (stolons, coulants) rougeâtres souvent de près d'un pied (35 cm) de longueur, et qui ne s'enracinent à leurs extrémités que par ses graines. Ceux qui cultivent la fraise savent avec quelle énergie il fau défendre les allées séparant les plates-bandes contre ces envahisseurs tenaces. L fraise énorme de nos jardins, quelle que soit sa variété, est la descendante prospère d nos humbles fraises des champs ou des bois. Attention à une sorte à fruit allongé et trè sucré et parfumé que nos Canadiennes rurales recherchent pour leurs confitures; ell mérite sans doute le rang d'espèce et son nom serait **Fraisier du Canada**. L'autre, à fru plus globuleux, s'appelle **Fraisier de Virginie**. (planche 28)

La gloire de nos arbres fruitiers

'est un privilège de se promener dans un verger en fleurs; les vergers sont nombreux ux alentours de Montréal, et dans tout le sud du Québec, surtout sur les pentes ocheuses des collines montérégiennes ou sur les premiers versants des basses aurentides (Rouville, Saint-Hyacinthe, Chambly, Jacques-Cartier, Deux-Montagnes, eauharnois, Soulanges, Vaudreuil, etc.).

On taille les pommiers, afin que les branches ne produisant que des feuilles isparaissent le plus possible, laissant toute la sève qui monte nourrir les lambourdes où sortiront des grappes de petites fleurs qui sont des roses par leur architecture.

Une gerbe de fleurs

est difficile d'énumérer une à une toutes les beautés des fleurs, épanouies à ce noment de la saison ou sur le point de nous charmer de leur sourire. Impossible ependant de ne pas cueillir, avant de clore, un gros bouquet auquel nous 'accorderons qu'un regard d'ensemble, remettant à plus tard l'étude des détails.

Voici 3 sortes d'arbrisseaux (on entend par arbrisseau une plante ligneuse ne épassant guère deux mètres de hauteur); le premier à fleurir en grosses grappes lanches, ayant des feuilles composées, croissant dans les bois: c'est le **Sureau rouge**. n juin, son frère, le **Sureau blanc**, se fera remarquer par ses petites fleurs blanches en yme (sorte de grappe) aplatie au sommet dont l'odeur est plutôt désagréable. Chacun ait que les petits fruits rouges des deux Sureaux sont comestibles et quel bon vin on eut en fabriquer.

Un autre groupe d'arbrisseaux, poussant dans des lieux mieux éclairés, est celui es Chèvrefeuilles, si souvent chantés en poésie. Voici:

— le **Chèvrefeuille dioïque**, à feuilles entières, sessiles (sans queue), opposées et souvent soudées deux à deux par la base (connées ou perfoliées), à corolle en tube, bossée à la base, poussant sur sol sablonneux.

— Le **Chèvrefeuille cilié**, à fleurs jaunâtres, par paires, à feuilles entières, ovées, ciliées; bois et tourbières. Les fruits sont charnus (baies).

— Le **Chèvrefeuille dierville** ou mieux, le **Diervilla Chèvrefeuille**, appartient au même groupe, ainsi que son nom l'indique. Ses feuilles sont oblongues, acuminées, dentées, glabres; son fruit est sec. Plusieurs espèces de Chèvrefeuilles sont cultivées.

Un troisième groupe (haut 2,6-5 m), celui des **Viornes** ou **Boules-de-neige**, fait artie avec les Sureaux et les Chèvrefeuilles, de la famille des **Caprifoliacées**. Le imbina à fruits rouges, le **Bois d'orignal** et les **Alises** à fruits bleus sont des Viornes.

Où herboriser

in de mai, début de juin, ne quittons les bois qu'à regret où la famille du **Ginseng** se répare à fleurir.

Une autre famille qui nous intéresse sera celle des **Bleuets**, des **Thés des bois**, es **Rhododendrons**, des **Atocas**, des **Raisins d'ours**, des **Andromèdes**, etc. Nos ruyères du Québec, en un mot.

Chapitre 6
Les cadres de la classification

Le règne végétal est le plus grand de nos cadres; il se subdivise en deux sous-règnes: le 1er renferme les plantes sans racines (sans vaisseaux); le 2e, les plantes à racine (avec vaisseaux).

Chacun de ces deux sous-règnes se divise à son tour en deux embranchements.

1. Sous-règne I — Plantes sans racine

— 1er embranchement: Plantes sans racine, sans tige, sans feuille, sans fleur, par conséquent, sans fruit; exemple: les Champignons, les Algues (ordinairement aquatiques), les Lichens. Pour le moment, disons que ces végétaux ne se composent que d'un thalle formé de cellules peu ou pas différenciées.

— 2e embranchement: **Plantes à tige et à feuilles**: Mousses et Hépatiques. Il ne faut pas confondre les Hépatiques de ce groupe avec l'Anémone hépatique dont il a été question au premier chapitre et qui est une plante à fleurs.

2. Sous-règne II — Plantes avec racine

— 3e embranchement: Plantes à racine, tige et feuilles: Fougères, Queues de renard (Prêles) et Courants verts. Nous avons déjà fait allusion à ces plantes qui n'ont pas de fleur, mais qui se reproduisent au moyen de petits grains de poussière que l'on appelle spores.

— 4e embranchement: **Plantes à racine, tige, feuilles, fleurs**. Nous voici arrivé au groupe qui nous intéresse plus particulièrement.

On appelle classe, la subdivision d'un embranchement, par exemple, la classe des Champignons, des Mousses, des Courants verts. Dans le quatrième embranchement on a créé deux sous-embranchements: 1 — les Gymnospermes, dont la fleur a un pistil imparfait, ouvert au sommet; 2 — tout le reste des plantes à fleur, ayant un pistil fermé forme le second sous-embranchement (appelé des Angiospermes); il se subdivise en deux classes: 1re classe: Monocotyles, dont les graines sont formées d'un seul morceau (cotyle). Céréales, Lis, Pied-de-veau, entrent dans ce groupe. 2e classe: Dicotyles, dont les graines sont formées de deux moitiés comme dans une fève, un pois, etc. La classe se partage en ordres.

L'ordre se partage en familles: les noms des familles ordinairement se terminent en acées: Liliacées, (famille du Lis), Aracées (fam. du pied-de-veau). Il y a quelques exceptions, par exemple, Graminées, Crucifères, Légumineuses, Composées, etc. Ces noms s'apprennent facilement avec l'usage et . . . le temps.

Les familles, groupes importants, renferment des cadres plus petits: on les appelle genres, que l'on nomme en n'employant en règle générale, qu'un mot dans le langage scientifique. Exemple: il y a le genre Violette, le genre Lis, le genre Chou, le genre Cresson, le genre Pissenlit, le genre Gouet ou pied-de-veau (vulgaire), etc. Les genres en botanique, sont des groupes de plantes définis par des caractères importants de la fleur.

À leur tour, les genres se divisent en espèces qui se nomment ordinairement, dans le langage scientifique, à l'aide de deux mots dont le premier est celui du genre auquel on ajoute un qualificatif qui est un adjectif ou un nom précédé de à, de, du, etc. Par exemple, quand on dit: Lis du Canada, Violette septentrionale, Érable à sucre, Érable de Pennsylvanie, Chêne blanc ou Chêne à gros fruits, on nomme des espèces.

On subdivise encore l'espèce en variété et les variétés en forme.

Planche 7: 1. Clématite de Virginie. — 2. Clématite verticillée. — 3. Populage des marais. — 4. Coptide (*Savoyane*). — 5. Hellébore. — 6. Ancolie (*Colombine*). — 7. Aconit. — 8. Dauphinelle. — 9 et 10. Actée en fl. et en fr. — j. Actée rouge, k. Actée à gros pédicelles. — 11. Hydraste du Canada.

39

Chapitre 7
Les Éricacées

Bien que leurs fruits bleus et succulents ne doivent se laisser cueillir que tard durant l'été, en juillet et août, il faut aller à présent à travers ces terrains pauvres que certains appellent savanes, voir fleurir nos bleuets ou bluets et autres genres de la famille des bruyères ou Éricacées.

Cette famille compte chez nous plusieurs petits ligneux dressés ou rampants et dont les fleurs en cloche ou campanulées, sont comme de cire groupées en grappes, dressées ou penchées.

Voici cette famille des Éricacées. (planches 8 et 9)

1. Les principales espèces d'Airelles

Le vrai nom scientifique du Bluet est **Airelle**. Laissons à tous ceux et celles qui ont des loupes ou simplement de bons yeux, le délicat plaisir d'examiner de près une fleur d'Airelle. Voyons bien la corolle et dedans, les étamines. Elles ont quelque chose de spécial. . . ? qui dira de quelle façon les petits sacs, renfermant les grains de pollen destinés à opérer la fécondation, s'ouvrent?

Il y a des Bluets avec fruit bleu:

— Le **Bluet faux Myrtille** a les feuilles et l'extrémité des branches recouvertes de petits poils denses.

— Le **Bluet à feuilles étroites** dont les feuilles et les branches sont glabres, non recouvertes de petits poils. L'une et l'autre espèce ci-dessus sont de petite taille (haut. 15 à 60 cm).

— Le **grand Bluet** ou B. à corymbe (corymbe est une sorte de grappe) de 1 à 2 m de hauteur dont la fleur et le fruit sont très gros. Telles sont nos trois principales espèces de Bluets sauvages, sucrés et formant toujours un dessert rafraîchissant, soit crus, soit en conserve ou en confiture. Signalons cependant certains bluets cultivés dont le fruit atteint d'énormes grandeurs (1 à 1,6 cm de diamètre); il est cependant d'un goût très inférieur, presque fade. Vivent nos bluets du Québec!

— Nos **Atocas**, les « cranberries » dont les Américains ne peuvent se passer en mangeant la dinde traditionnelle du Thanksgiving Day, est aussi un bleuet de tourbière, mais à fruit rouge.

— Les gens d'en bas de Québec appellent « **Pommes de terre** » une autre espèce de bluet rampant par terre, à jolie fleur, mais dont le fruit est rouge et médiocre au goût.

2. Le Raisin d'Ours et les autres Éricacées

Le **Raisin d'Ours** est une plante rampante dont la fleur est encore de forme plus délicate que celle des bluets. On le trouve sur les terrains secs et sablonneux, formant de larges tapis; c'est un pauvre fruit pour nous.

Le petit **Thé des bois** ou **Gaulthérie couchée**, par contre, peut se récolter actuellement avec ses fruits de l'an dernier qui sont assez savoureux avec un petit goût de « Pepsin gum » si caractéristique des feuilles. Cette petite plante donne, en effet, un excellent thé tout sucré qui a la valeur d'une tisane.

Planche 8: 1. Cassiope hypnoïde. — 2. Andromède à f. glauque. — 3. Chamédaphné calyculé. — 4. Épigée rampante. — 5. Gaulthérie couchée (Petit Thé). — 6. Raisin d'ours. — 7. Gaulthérie (Chiogène) hispide. — 8. Gaylussacia (Bleuets noirs). — **Airelle** (Bleuets): 9. A. à feuille étroite. — 10. A. du Canada (faux-Myrtille). — 11. A. en corymbe. — 12. Petite Canneberge (Airelle, Atocas).

Un autre petit Thé, que les Anglais appellent « Creeping Snowberry », et que certains de nos coureurs de bois désignent, dans leur langage plutôt mêlé, par « **oeufs de swamp** », rampe sur la mousse des tourbières, avec de petites feuilles ovales et des fruits blancs aromatiques et sucrés, ronds comme des oeufs minuscules.

Dans les tourbières encore, on rencontre l'**Andromède** et un **Kalmia** à feuilles épaisses, lancéolées, à bords en dessous. Là encore fleurit maintenant le **Thé du Labrador** ou **Lédon des marais**, remarquable par ses feuilles oblongues lancéolées enroulées, garnies de poils roux en dessous.

Sur les terrains sablonneux encore, nous pourrons récolter dans quelques semaines, le **Kalmia à feuille étroite**, ainsi nommé en l'honneur du médecin Kalm, qui herborisa beaucoup au Canada durant la domination française.

Dans les bois sablonneux, impossible d'omettre l'**Épigée rampante** ou **fleur de mai**, très odorante, à fleurs en grappe, rose ou blanche; les feuilles sont arrondies au sommet, cordées à la base.

La dernière Éricacée qu'il faut mentionner, celle pour nous, dont la fleur est la plus belle, d'un bleu violacé, sortant avant les feuilles, est le **Rhodora du Canada** ou **Rhododendron**. Les botanistes américains, voulant donner à une de leurs grandes revues scientifiques, un nom de plante particulièrement belle et caractéristique de tout l'est de l'Amérique du Nord, ont tout simplement choisi le mot Rhodora.

Chapitre 8
Le Ginseng

Enfin, le voilà, ce célèbre et rarissime Ginseng si recherché. Il appartient à une vieille famille dont la plupart des genres ont quelques propriétés médicinales remarquables, telles:

— **L'Aralie en grappe**, ou **Anis sauvage**. Sa racine, parfois aussi grosse qu'un bras, est charnue, d'un arôme et d'un goût agréables; fleurira en juillet.

— La **Salsepareille** ou **Aralie à tige nue**, dont la racine courant presque à la surface de terre, peut s'arracher par longs bouts. On s'en sert en médecine.

Chapitre 9
Érables et Conifères

Avant d'aller voir nos érables et de saluer nos conifères, parlons collection de vacances.

1. Collection de vacances

Nous invitons donc les nombreux jeunes botanistes amateurs à récolter, à presser et à sécher soigneusement un gros herbier qu'ils identifieront au fur et à mesure que leur science se développera.

Cependant, il y aura avantage à récolter de belles collections:

A) FLEURS DIFFÉRENTES,

bien pressées, bien séchées et disséquées de manière à bien faire ressortir les organes intérieurs. Chaque fleur devra être collée à un petit morceau (de 10 à 15 cm sur 10 à 15 cm) de papier. On aura soin d'indiquer, comme documentation (à défaut du nom de la plante ou de celui de sa famille), le nombre des étamines, des sépales et des pétales, des chambres à l'intérieur du pistil. En un mot, on vous demande une courte description de tout ce que vous trouverez d'intéressant dans la fleur.

B) FEUILLES DIVERSES,

différant entre elles par leurs formes, leurs contours ou leurs nervures.

Il faut éviter de choisir les feuilles trop grandes, car il faudra les fixer (coller, épingler ou coudre) sur des feuilles de papier (papier journal excellent) ne dépassant point 2 dm sur 2,5 à 3 dm. Les noms des plantes devront être donnés lorsqu'ils seront connus; dans tous les cas, il faudra indiquer si la feuille est: 1) ovale, oblongue, cordée, triangulaire, etc.; 2) entière ou dentée, lobée, ciliée, crénelée, etc.; 3) à nervures parallèles, pennées, palmées, etc. (planche 5)

C) FRUITS DIFFÉRENTS.

Nous donnerons subséquemment tout ce qu'il importe de savoir pour bien classer les fruits.

Mais prenons la clé des champs. Allons voir nos Érables! Ils sont revêtus maintenant de leurs fruits secs, ne volant que d'une aile, et de leur incomparable ramure de feuilles arrondies, palmées, 5 fois lobées, grossièrement; s'il nous reste un moment, nous irons saluer nos conifères et apprendre à distinguer un Pin d'un Sapin, les Pins entre eux, etc.

Planche 9: Cornacées: Cornouiller: 1. C. du Canada (Quatre-temps). — 2. C. stolonifère (les Harts rouges). — **Éricacées**: 3. Chimaphile en ombelle. — 4. Monésès à une fleur. — 5. Pyrole elliptique. — 6. Pyrole seconde. — f. Pyrole verdâtre. — 7. Monotrope à une fleur. — 8. Lédon (Thé du Labrador). — 9. Rhododendron du Canada (Rhodora). — 10. Loiseleuria (rare). — 11. Kalmia à feuille étroite. — 12. Kalmia à feuille pâle.

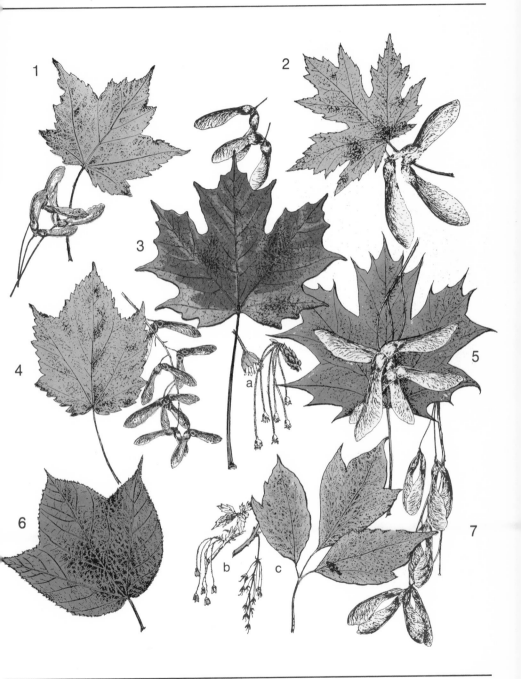

Planche 10: 1. *Érable rouge* (Plaine). — 2. *Érable argenté* (Plaine blanche). — 3. *Érable à sucre*: a. fleur et grappe. — 4. *Érable à épis*. — 5. *Érable de Norvège* (E. faux-platane). — 6. *Érable de Pennsylvanie* (Bois barré). — 7. *Érable du Manitoba* (E. à Giguère): b. inflorescence mâle, c. inflorescence femelle.

2. Les Érables

Rares ceux qui connaissent assez nos Érables pour les nommer tous, sans erreur. La moitié de la jeunesse du Québec est incapable d'identifier l'espèce d'Érable dont la feuille sert d'emblême du Canada. Grave lacune qu'il faut combler sur l'heure. Pour classer les sept ou huit espèces d'Érables communes dans Québec, nous ne prendrons en considération que deux caractères principaux: le contour de la feuille et l'écartement qu'il y a entre les ailes d'une disamare (formée de deux samares ou fruits secs ailés ne s'ouvrant pas à maturité). La planche 10 est tellement claire qu'il suffirait à faire reconnaître avec sûreté chaque espèce, sans ajouter aucune explication. Cependant, vu l'importance de ces arbres, nous les passerons rapidement en revue.

A) **Érable barré** ou **de Pennsylvanie.** Un petit arbre de sous-bois, à larges feuilles finement dentées et trilobées à sa partie supérieure, les deux lobes latéraux étant plus courts.

B) **Érable à épi, E. bâtard.** Petit arbre de sous-bois, à feuilles trilobées, mais à grosses dents; les samares sont en effet en longues grappes pendantes.

C) **Érable à sucre, e. du Canada.** Saluez, messieurs! Voici cet arbre plein de noblesse qui, chez nous, est l'emblème de la force. C'est de sa sève encore que l'on obtient notre sirop et notre sucre d'érable. Sa feuille, sans aucun doute, doit être notre emblème du Canada. Certains artistes mal inspirés ont préféré fignoler certaines feuilles imaginaires ou copier simplement la feuille de l'érable argenté; cependant ces substitutions doivent être blâmées et les raisons qui les motivent ne devraient pas être estimées suffisantes pour déclasser la feuille authentique de l'érable du Canada, qui n'est pas sans beauté.

Le bois de cet arbre est franc, dur, donnant un excellent combustible à nos gros poêles en fonte des maisons de campagne et, à l'ébénisterie, un produit recherché pour boiserie, marqueterie. L'Érable moiré s'obtient en coupant la planche dans le sens des rayons médullaires. L'Érable piqué et l'érable ondulé ne sont que des variétés commerciales de l'érable à sucre, dues à des structures accidentelles.

La feuille est d'un beau vert foncé à sa face supérieure, plus pâle inférieurement. Les ailes de la disamare font un angle d'un peu moins de 90 degrés; elles mesurent 2 cm environ de longueur, sa graine est grosse. Son écorce rugueuse est barrée de taches blanchâtres faites par du liège.

D) **Érable argenté.** Les habitants en ont abondamment planté dans les rues de tous leurs villages; ils l'appellent **Plaine.** Ce nom peut être conservé à la condition d'ajouter le spécifique « blanche ». Dans nos villes, volontiers on plante cette Plaine blanche, typique, ou quelqu'une de ses variétés à feuilles très découpées, partout où le macadam n'est pas venu étouffer totalement la végétation. C'est que l'Érable argenté a une croissance exceptionnellement rapide. En moins de 20 ans, on peut avoir un gros arbre de cette espèce. Son bois est moins dur, son eau beaucoup moins sucrée que l'Érable du Canada.

E) **Érable de Norvège** ou **pseudo-Platane.** Il ressemble au précédent par sa feuille, son bois mou, son eau peu sucrée, mais son feuillage est plus dense, les disamares ont deux ailes écartées souvent de 160 à 180 degrés, presque opposées. Très ornemental.

F) **Érable rouge** ou **Plaine**. Il ressemble à la Plaine blanche, mais préfère les marécages et les bois très humides. Sa feuille, ainsi que celle des numéros 3, 4, 5 de la planche 9 est à cinq lobes, ressemblant un peu à celle de la Plaine blanche. Ses fleurs rouges, sont presque sessiles. Ses disamares glabres, faisant un angle de 90 degrés, sont généralement petites.

G) **Érable à Giguère** ou **du Manitoba**. Il fut ainsi nommé parce que introduit dans le Québec par un monsieur Giguère, venant du Manitoba, dit-on. Pauvre arbre, rabougri, à tige sans tenue, aux feuilles composées de 3 à 5 folioles, donnant d'abondantes disamares dont les ailes, faisant un angle très aigu, sont partiellement superposées.

En plus de ces Érables indigènes, on plante au Québec, plusieurs autres espèces exotiques ou variétés cultivées, de petite taille ou à feuillage rouge ou jaune doré.

3. Les Conifères

Embranchement IV — **Plantes à fleurs** (Phanérogames).

Sous-embranchement 1. **GYMNOSPERMES** (Ovule peu ou pas enveloppé par l'ovaire).

CLASSE DES CONIFÈRES.
Arbres et arbustes résineux, à feuilles persistantes, en forme d'aiguille ou d'écaille. Fleurs mâles et fleurs femelles sur un même arbre (monoïque). Fruits secs formant des cônes ou charnus. D'une grande valeur économique à cause de leur bois et de leurs sous-produits (térébenthine, goudron, poix, etc.). On plante, dans le Québec, le Pin sylvestre, l'Épinette bleue d'Engelmann, l'Épinette de Norvège et le Ginkgo.

CLEF DES GENRES
a — Fruits secs groupés en cônes b.
  b — Feuilles en aiguilles c.
    c — Cône pendant d.
      d — Feuilles groupées: 1. Pin; 2. Mélèze
      d — Feuilles isolées: 3. Épinette; 4. Pruche
    c — Cône dressé: 5. Sapin
  b — Feuilles en écaille: 6. Thuya (Cèdre)
a — Fruits charnus: 7. Genévrier (fr. bleus); 8. If du Canada (fr. rouges)

A) PIN — PINUS L. — PINE

a) **Pin blanc** — *Pinus Strobus* L. — White Pine (planche 11, fig. 5) — Arbre (haut. 30-80 m) écorce gris cendré (lisse d'abord, puis rugueuse, non écailleuse; feuilles (long. 4-10 cm) groupées par 5; cône (long. 10-15 cm), pédonculé, cylindrique, un peu courbé, à écailles minces, molles. T.-N. à Manitoba, Georgie à Illinois. Dans le Québec, jusqu'au Lac-Saint-Jean et Anticosti. Bois mou, facile à travailler, gardant sa forme, très employé en construction. Ennemis: *Cronartium ribicola* (la rouille vésiculeuse du Pin blanc). En pharmacie, on vend le sirop de Pin blanc et le Pinéoleum, contre irritation des voies respiratoires.

b) **Pin résineux** (P. rouge). *P. resinosa* Ait. (planche 11, fig. 6) — Norway Pine — Écorce rougeâtre; feuilles (long. 10-15 cm), groupées par deux; cône subsessile, conique, devenant sphérique sur le sec, à écailles dures et épaisses, persistant. T.-N. à Manitoba, Penn. à Wisc. Bois rouge, très résineux, dur; de charpente et de mâture, de menuiserie.

c) **Pin de Banks** (P. gris, Cyprès, P. chétif). *P. Banksiana* Lamb. Jack Pine (planche 11, fig. 4). Arbre (haut. 5-20 m), écorce grise, écailleuse; feuilles (long. 2 3 cm) groupées par deux; cônes (4-5 cm.) persistants, groupés par deux ou trois coniques à l'état vert, sphériques sur le sec, à écailles épaisses. N.-E. au Bassin du Mackenzie (65° lat.n.), Maine-Michigan. Bois à pâte, de chauffage, faible, noueux cassant, sert comme dormants ou traverses des voies ferrées.

Dans l'ouest du Canada, on rencontre les Pins suivants: Pin argenté (*P. monticola*) P. blanc de l'Ouest (*P. flexilis*), P. à blanche écorce (*P. albicaulis*), P. rigide (*P rigida*), P. lourd (*P. ponderosa*), P. de Murray (*P. Murrayana*).

B) MÉLÈZE — LARIX MILL. — LARCH

— **Mélèze laricin** (Épinette rouge) — *Larix laricina* (DuRoi) K. Koch — American Larch (planche 11, fig. 3). Feuilles (long. 10-25 cm) molles, groupées par 12-20 tombant chaque automne. Préfère les tourbières. T.-N. au Cercle arctique, Minn. à Mld. et Virginie. Bois lourd, dur, servant à la construction de maisons, navires piquets de clôtures, blocs à pavé, traverses de voies ferrées.

C) ÉPINETTE — PICEA DIERT. — SPRUCE

Feuilles isolées, quadrangulaires, rayonnant tout autour de la branche, persistantes, mais tombant en séchant. Très commune.

a) **Épinette glauque** (E. blanche). *Picea glauca* (Moench) Voss — White Spruce (planche 11, fig. 11). Rameaux glabres; feuilles vertes, pointues; cône (long. 3-5 cm) oblong-cylindrique, tombant chaque année, élastique. À cette espèce, se rapportent: Épinette jaune, E. grise, E. de savane, E. des champs, E. à bière. Bois mou; plus dur que le Pin blanc, mais de moins bonne qualité; à pâte, très résonnant. Ennemis: a) insectes: Tortrix, Dendroctonus, Polygraphus, plusieurs Ips et Dryocoetes, Pissodes, etc.; b) le gui nain (*Arceuthobium pusillum*) de la famille des **Loranthacées**.

b) **Épinette noire** (Épicéa marial, Épinette à bière). *P. mariana* (Mill.) B.S.P. (planche 11, fig. 7) Black Spruce. Rameaux ultimes pubescents; feuilles d'un vert foncé, obtuses, légèrement recourbées; cône ové ou sphérique à l'état sec, persistant durant 20 à 30 ans: Bons bois de charpente, excellent pour la pâte. Sa croissance varie beaucoup: un tronc de 16 cm de diam. peut avoir de 25 à 175 ans, suivant les lieux. Plusieurs formes indigènes ou cultivées.

c) **Épinette rouge** (Épicéa rouge). *P. rubens* Sarg. Red Spruce. Ressemble à l'épinette blanche; mais en diffère par ses rameaux ultimes pubescents; dans le sud du Québec.

D) TSUGA OU PRUCHE — TSUGA (ENDL.) CARR. — HEMLOCK

— **Pruche du Canada** — *Tsuga canadensis* (L.) Carr. Hemlock (planche 11, fig. 1). Feuilles aplaties, obtuses, vert foncé supérieurement, argentées en dessous, inférieurement, pétiolées, étalées sur deux rangs de chaque côté de la branche, tombent en séchant. N.-E. à Québec (au sud du 47° lat. n.) Alabama au Minn. Léger, cassant, pourrit vite à l'humidité; bois de construction, de charpente, bardeaux, lattes; écorce riche en tannin.

Planche 11: Pruche du Canada (Tsuga). — 2. Sapin baumier. — 3. Mélèze (Fausse Épinette rouge, Tamarac). — 4. Pin de Banks (Pin gris). — 5. Pin blanc. — 6. Pin résineux (Pin rouge). — 7. Épinette noire. — 8. Genévrier horizontal. — 9. Thuya occidental (Cèdre). — 10. If du Canada (Buis de sapin). — 11. Épinette glauque (Épinette blanche).

E) SAPIN — ABIES MILL. — FIR

— **Sapin baumier.** *Abies balsamea* (L.) Mill. Balsam Fir (planche 11, fig. 2). Très résineux; feuilles aplaties, sessiles, souvent étalées sur deux rangs, parfois tournées tout d'un côté, persistantes même en herbier; cône cylindrique, dressé, à bractées tombant dès septembre.
T. N. à Yukon, Virg. à Iowa. Bois mou, léger, servant à la pâte; on extrait de l'écorce le baume du Canada, connu en médecine populaire sous le nom de gomme de sapin, et servant de remède universel. Ennemis: a) champignons: *Polyporus, Armillaria, Fomes*; b) Rouille formant des « balais de sorcières »: *Peridermium balsameum*; c) plante à fleurs, *Aceuthobium pusillum*.

F) THUYA — THUJA L. — CEDAR, ARBOR VITAE

Thuya occidental (Cèdre). *Thuja occidentalis* L. White Cedar, Arbor Vitae (planche 11, fig. 9). Résineux et aromatique, incorruptible; feuilles écailleuses, sur quatre rangs, les latérales carénées; cône (long. 1 cm) petit. Lieux humides ou plateaux calcaires. N.-B., Anticosti à Baie de James et Man. Penn. à Minn. Bois très durable, construction de quais, fondations, clôtures de perches, bardeaux, poteaux téléphoniques.

G) GENÉVRIER — JUNIPERUS L. — JUNIPER

Petit arbre ou arbrisseau à feuilles aciculaires (G. conmun — *J. communis* L.), ou à feuilles écailleuses (G. de Virginie — *J. virginiana* L. et G. horizontal — *J. horizontalis* Moench. (planche 11, fig. 8); fruit charnu, en forme de baie bleue. Ces fruits peuvent aromatiser l'alcool transformé en genièvre (gin); à dose voulue, ils sont diurétiques. Les feuilles sont purgatives. Chaque espèce compte plusieurs variétés et formes.

H) IF — TAXUS L. — YEW

If du Canada (Buis de sapin). *Taxus canadensis* Marsh. Dwarf Yew (planche 11, fig. 10). Arbrisseau couché; feuilles vertes sur les deux faces, pétiolées, pointues au sommet, ne tombant point en herbier; fruit charnu, rouge, comestible. T.-N. à Man., Minn. à Virg. Les feuilles servent, en tisane, pour purifier le sang; elles s'emploient contre le diabète.

Chapitre 10
Vieux amis et nouvelles connaissances

Retournons herboriser. Du haut du perron, jetons donc un coup d'oeil à nos Pissenlits dorés d'il y a deux semaines. Ils ne sont plus. À leurs capitules de minuscules fleurs jaunes ont succédé des armées de boules d'aigrettes soyeuses que le vent est venu briser. Aujourd'hui, les tiges du pissenlit, à demi décapitées ont l'air misérable. Les habitants voyant ces nuées de petits parachutes porter, à d'innombrables coins de leur terre, les graines du Pissenlit, jettent contre cette plante de lourdes malédictions.

A) LA MARGUERITE DES CHAMPS

Voici une très aimable remplaçante — appartenant également à la famille du Pissenlit et qui livre présentement ses premières inflorescences. Chacun connaît la Marguerite, formée d'un centre jaune, composée d'une masse de petites fleurs fertiles et tout autour de cette élégante série de rayons blancs que l'on appelle injustement les pétales. Nos jouvenceaux et nos jouvencelles connaissent bien la Marguerite; et qui ne les a vus assis sous un arbre discret, arracher un à un les blancs rayons de ce petit chrysanthème sauvage en récitant: « Je t'aime . . . un peu . . . beaucoup . . . par jalousie . . . à la folie . . . point du tout ». Plus jolie, peut-être que le Pissenlit, la Marguerite est aussi une très mauvaise herbe pour les animaux du pâturage. (planche 36)

B) L'HERBE-À-LA-PUCE

L'**Herbe-à-la-puce**, qu'il ne faut pas confondre avec l'**Herbe-à-poux**, cause à l'homme une maladie de peau qui est aussi douloureuse que contagieuse. Facile à reconnaître, le **Sumac vénéneux**, Herbe-à-la-puce, est un petit arbrisseau dressé (de 0,33 mètre), avec feuilles composées de trois folioles chacune, ovales, pendantes, entières ou grossièrement dentées. Les jeunes folioles sont rouges mais tournent au vert en vieillissant.

Ses fleurs petites sont verdâtres et en grappes à la base des feuilles. Son fruit est une drupe (sur les fruits voir p. 56) ovoïde-sphérique. Lieux sablonneux, ombragés et humides. Il suffit de toucher au lait, sorte de jus blanc situé dans l'écorce, pour se voir au bout de quelques heures couvert de petites ampoules qui crèvent bientôt, causant une démangeaison et une brûlure insupportables. Certaines personnes sont plus sensibles et prétendent l'avoir attrapée simplement en la regardant. D'autres, au contraire, semblent immunisées contre ce poison. Provancher dit, en effet, parlant de lui-même: « Nous en avons maintes et maintes fois foulé aux pieds, froissé dans nos mains et même mis dans notre bouche, sans jamais en ressentir le moindre effet ». Il faut dire que c'est là une exception très rare, et que l'on ne saurait être trop prudent en récoltant cette plante. Les extrémités des doigts, moins sensibles, peuvent toucher aux spécimens que l'on dépose dans la chemise sans danger. Une fois sèche, la plante cesse d'être dangereuse.

Le croiriez-vous, l'Herbe-à-la-puce appartient non seulement à la même famille que le Vinaigrier mais au même genre.

C) LES AUBÉPINES

Qui ne connaît les aubépines? Les aubépines n'étant rien d'autre que les « senelliers », tous connaissent ce que c'est qu'une « senelle ». Il y a les senelles bonnes à manger pour les humains, et d'autres, les senelles à. . . pour les animaux. Les aubépines sont actuellement en fleurs, du moins celles du deuxième groupe. La date de floraison est un caractère distinctif. Autres caractères usités dans la classification

Planche 12: 1. Petite Bardane. — **Cirse**: 2. C. vulgaire (lancéolé). — 3. C. discolore. — 4. C. des champs. — 5. C. mutique. — 6. **Centaurée** sp. — 7. Lapsane commune, i. fleur, j. fruit.

Planche 13: Bétulacées: 1. Aulne rugueux. — **Fagacées**: 2. Hêtre à grande feuille. — 3. Chêne blanc. — 4. Chêne à gros fruits. — 5. Chêne rouge (boréal). — **Urticacées**: 6. Orme d'Amérique (O. Blanc). — 7. Orme rouge. — 8. Orme liège. — 9. Micocoulier.

de nos nombreuses Aubépines (nous en avons peut-être 50 espèces au Québec): le nombre des étamines, la couleur des anthères (sacs à pollen), la longueur et la courbe plus ou moins forte des épines, le nombre des noyaux à l'intérieur du fruit, etc.

D) LES CHÊNES

Oh! seulement un tout petit mot, puisque les illustrations ci-jointes suffisent à identifier avec certitude nos trois espèces les plus répandues. (planche 13)

Remarquons que toutes les fois que nous rencontrons un chêne dont le bout des dents et des lobes de la feuille est arrondi, abattons sans crainte tous les glands de cet arbre, ils sont doux, excellents à manger. Au contraire, les chênes dont les feuilles ont des lobes aigus sont à glands amers.

Le **Chêne** n'est certainement pas le roi de nos arbres, comme le **Chêne Robur de France** l'est là-bas. C'est évidemment un bois très franc, recherché en ébénisterie, à cause de la beauté de son grain et des effets que l'on en peut obtenir, lorsque les planches sont coupées suivant les rayons médullaires. Aujourd'hui, il faut prendre garde en achetant ses meubles, car le marché est encombré de toutes sortes de chênes qui n'en sont pas ou n'en sont qu'à la surface, du « chêne plaqué ».

E) LES FOUGÈRES

Le groupe de nos Fougères est bien attrayant, tant par la beauté des formes de chaque fronde (larges feuilles des Fougères) que par la finesse des contours. Ces Fougères,les grandes espèces du moins, aiment l'ombre et peuvent se transplanter près des maisons en bordure des clôtures ou des galeries, assez facilement. L'on se souvient de la fortune étonnante de la **Boston Fern**, Fougère des pays chauds, introduite en Nouvelle-Angleterre au siècle dernier et dont on a créé 400 variétés qui se vendent chaque jour par milliers chez les fleuristes des deux mondes sous toutes sortes de noms. Dans nos bois, nous avons la **Fougère-à-faucilles**, comme l'appellent les habitants, qui ressemble de très près à la Boston Fern originale.

À cette époque-ci, il faut récolter surtout les **Osmondes**, l'**Onoclée**, la **Matteuccie plume d'autruche**, bientôt toute la série des autres qu'un dessinateur illustre dans le présent chapitre. Qui trouvera d'autres sortes que celles présentées sur nos deux planches? Qui trouvera celle de la fig. 13, planche 14 portant le nom de « **Athyrie à feuille étroite** », ou *Athrium pycnocarpon*. Ce dernier nom montre jusqu'à quel point les noms scientifiques sont cocasses parfois.

Les Fougères appartiennent au troisième embranchement des plantes à racine, à tige, à feuille (R.T.F.). Elles se reproduisent au moyen de cette poussière de spores brunes, groupées au sommet ou au milieu de certaines frondes (qui en sont complètement recouvertes) ou sur la face inférieure des feuilles normales. On peut comparer les spores à des individus habitant des maisons que sont les sporanges. Ces maisons forment de petits villages qu'on appelle sores; ces sores, recouverts la plupart du temps d'un voile (indusie) lorsque jeunes, sont tantôt ronds, tantôt en long, tantôt en fer à cheval.

1. Le fruit

A) DÉFINITION

Le fruit provient de la transformation de la paroi du pistil, plus spécialement de celle de l'ovaire, qui se différencie en épicarpe (peau, pelure) en mésocarpe, plus épais, et en endocarpe. Certains fruits sont formés par le calice (Gaulthérie ou Petit Thé), par le

Planche 14: Osmondacées — Osmonde: 1. O. royale, a-b. diodanges, c. diode. — 2. O. cannelle. — 3.O. de Clayton (ou interrompue). — **Polypodiacées**: 4. Onoclée sensible, d. segments de fronde enroulés sur les sores, e. diodange. — 5. Ptérétide noduleuse (Plume d'autruche), f. diodange. — 6. Woodsie, g. sore. — 7. Cystoptéride fragile, i. sore. — 7h. C. bulbifère, j. sore. — 8. Polypode de Virginie. — 9. Polystic faux-acrostic (Fougère-à-faucilles), 9k. sore. — 10. Woodwardie, segment et coupe. — 11. Doradille chevelue; 11,1. sores droits. — 12. Athyrie étroite, m. sores courbés. — 13. Athyrie à feuille étroite, sores à peine courbés.

réceptacle (Pommier, Aubépine). Les noix sont aussi des fruits d'origines très diverses (gland, noisette, noix longue). Les arachides (peanuts), les noix du Brésil et le fruit du Léontice sont des graines (ovules).

B) DIFFÉRENTES SORTES DE FRUITS: (planche 16)

a) Fruit simple, résultant d'un pistil à un seul carpelle (Cerise) ou à plusieurs carpelles soudés (Pomme, Coing); b) Fruit multiple, résultant d'un pistil à plusieurs carpelles distincts (Framboise, Fraise); c) Fruit composé, résultant d'une inflorescense (Mûre).

C) CLASSEMENT DES FRUITS SIMPLES:

(1) **Fruits secs** dont la paroi reste mince formée de cellules desséchées. a) Fruits secs s'ouvrant à maturité (déhiscents): capsules. 1. Fruits s'ouvrant sur le long: par une seule fente: le follicule (Pivoine, Colombine); par deux fentes: la gousse (Pois, Fève); par quatre fentes: la silique (Moutarde, Chou, Radis); — Par fentes suivant les nervures médianes, déhiscence loculicide. 2. Fruits s'ouvrant sur le large, par couvercle, etc.: Plantain. 3. Fruits s'ouvrant par des trous ronds ou pores, ex.: Coquelicot, Linaire. b) Fruits ne s'ouvrant pas à maturité (indéhiscents): akènes ou achaines.

— La samare (Orme, Frêne) est un akène avec une aile; l'Érable a une disamare.

— Le caryopse (grain) est un akène dont la graine est soudée à la partie profonde du fruit: Blé, Avoine.

(2) **Fruits charnus**: dont la paroi s'épaissit, devient juteuse et molle à maturité.

— Fruits charnus s'ouvrant à maturité, plutôt rares (Impatience), pas très charnus.

— Fruits charnus ne s'ouvrant pas à maturité. Fruits à pépins, ce sont les baies (citrouille, groseille, raisin). La pomme renferme ses pépins au-dedans des parois cornées de son ovaire; la partie charnue provient du développement de son disque.

(3) **Fruits charnus extérieurement**, durcis intérieurement:

— Qui s'ouvrent à maturité (noix). Le brou est la partie verte, charnue.

— Qui ne s'ouvrent pas à maturité (drupe). Ce sont les fruits à noyaux, ex.: Cerise.

D) LA DISSÉMINATION OU DISPERSION DES GRAINES,

Celle-ci est assurée de la façon la plus diverse. Tantôt les graines sont automatiquement projetées par le fruit lui-même; tantôt seules ou avec les fruits qui les portent, les graines peuvent être déposées à de très grandes distances, transportées: par le vent, au moyen d'aigrettes de soies, d'ailes, etc.; dans le cas de la Moutarde roulante, c'est la tige qui est emportée par le vent; par l'eau: liège ou chambres à air servant de flotteur; par les vivants: accrochées aux vêtements ou à la toison des passants, ou absorbées comme aliments.

2. La graine

A) DÉFINITION

La graine, qui provient de l'ovule fécondé, est formée de l'embryon et des réserves (albumen) qui doivent servir à la vie et au développement de ce dernier.

Planche 15: Dryoptéride: 1. D. du Chêne. — 2. D. du Hêtre. — b-c. D. des marais. — 3. D. à crête. — 4. D. de Goldie. — 4d. D. marginale, sore. — 5. **Camptosore** (Fougère ambulante), e. sore, f. diodange. — 6. **Dennstaedtie** (Fougère ponctuée), 6g. sore. — 7. **Adiante** (Capillaire du Canada), 7h. sore. — 8. **Ptéridie** (Fougère d'aigle, Grande Fougère). 9. sores continus. — 10. **Ophioglosse** vulgaire, 10k. segment de l'appareil diodofère. — **Botryche**: 11. B. Lunaire (Herbe-à-la-lune). — 12. B. de virginie, 12-1. diodanges.

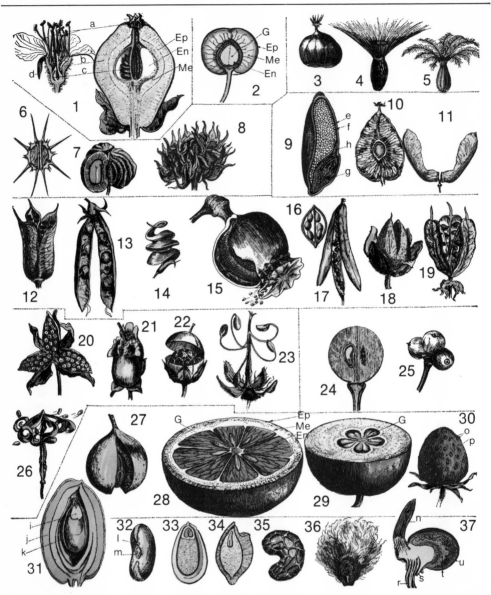

Planche 16: 1. *Cognassier,* a. style, b. disque, c. ovaire, d. sépale; Ep. épicarpe, En. endocarpe, Me. mésocarpe. — 2. *Prunier,* g. amande. — **Akènes:** 3. *Châtaignier.* — 4 et 5. Akène plumeux. — 6. *Carotte.* — 7. *Capucine.* — 8. *Renoncule.* — 9. Caryopse *(Blé),* g. *embryon.* — 10. Samare *(Orme).* — 11. Disamare *(Érable).* — **Capsules:** 12. Follicule *(Aconit).* — 13. Gousse *(Pois).* — 14. Gousse spiralée *(Luzerne).* — 15. *Pavot.* — 16 et 17. Silique (Crucifères). — 18. *Digitale.* — 19. *Jacinthe.* — 20. *Violette.* — 21. *Linaire.* — 22. *Mouron.* — 23. *Géranium.* — **Baies:** 24. *Vigne.* — 25. *Gui.* — **Fruits charnus déchiecents:** 26. *Impatience.* — 27. *Muscadier.* — 28. *Oranger.* — 29. *Pommier.* — 30. *Fraise.* — 31. Amandier. — **Graines:** 32. *Haricot.* — 33. *Nénuphar.* — 34. *Sagittaire.* — 35. *Pavot.* — 36. *Cotonnier.* — **Germination:** 37. *Blé-d'Inde:* n. gemmule, r. radicule, st. albumen, u. péricarpe.

Souvent l'embryon assimile ces réserves de la plantule au fur et à mesure de leur formation et les dépose dans sa ou ses cotyles.

B) PARTIES DE LA GRAINE

a) Les téguments ou enveloppes de couleurs diverses, marqués de deux légères cicatrices, le hile et le micropyle. Certaines graines n'ont qu'un tégument.

b) L'amande qui renferme un embryon ou plantule formée d'une radicule, d'une tigelle, d'un petit bourgeon et d'un ou deux réservoirs de principes nutritifs (cotyles ou cotylédons).

c) Albumen, autre réservoir de principes nutritifs présent lorsque les cotyles ne renferment pas de réserves.

C) SORTES DE GRAINES (planche 16)

a) Graines sans albumen (Fèves, Pois); riches en amidon (Châtaigne, Gland); riches en matières azotées (Fèves, Pois); riches en huile (Noix douces et noix longues).

b) Graines avec albumen: riches en farine ou amidon (Blé, Avoine); riches en huile (Lin, Colza); riches en cellulose (Datte, Café).

La graine, à maturité, perd une partie de son eau et, constituée de toutes ses réserves, passe à l'état de vie ralentie. Certaines graines ne germeront qu'après un sommeil de plusieurs mois.

D) GERMINATION

Définition. Passage de l'embryon à l'état de vie active, de l'état de vie ralentie où il se trouvait dans la graine. Conditions de germination: a) Du côté de la graine: 1. un embryon bien vivant; 2. des réserves suffisantes; 3. la maturité interne voulue. b) Du côté du milieu, la graine a besoin, pour germer, d'eau, d'oxygène, de chaleur et de lumière.

Chapitre 11
Les Légumineuses et les Orchidées

1. L'herborisation (en résumé)

Avant de nous pencher sur ces familles, revoyons les points les plus importants de l'herborisation.

— Cartable, chemise de grandeur régulière (33 × 45 cm environ).

— Les récoltes (celles destinées à l'herbier, destinées à l'échange ou à celui qui identifie les plantes) doivent être abondantes et suffisamment représentatives. De toutes petites plantes (long. 30 à 35 cm) doivent bien remplir la page; on en met deux, lorsque nécessaire.

— Soignons le pressage. Pressons fort, puis aérons bien les spécimens et leurs chemises. Il n'est jamais permis de séparer la plante récoltée de sa chemise, lorsqu'on a écrit la documentation dans la marge. Souvenons-nous qu'un spécimen sans documentation (date, localité, habitat, nom de l'herborisateur) n'a aucune valeur.

— Visitons les prairies naturelles, les rivages et les grèves, les marécages et les tourbières, les rochers nus, les bords des chemins et les bois.

— Repassons au même endroit, à un mois d'intervalle ou plus, afin de récolter en fruit ce que nous aurons tout d'abord ramassé en fleurs.

— Étalons bien nos récoltes en les déposant dans leur chemise; après le premier pressage, il est prudent de jeter un coup d'oeil sur les spécimens douteusement « bien étalés ».

2. La famille des Légumineuses (planches 17-18)

A) CARACTÈRES DE LA FAMILLE

La famille des **Légumineuses** que l'on appelle parfois dans les vieux auteurs, **Papilionacées** (fleurs en forme de papillons), dans les auteurs américains **Fabacées**, est très facile à reconnaître étant très homogène. Composée de 500 à 550 genres et d'environ 12 000 espèces, cette famille comprend des herbes, des arbrisseaux, des plantes grimpantes et des arbres (Acacia) qui tous ont pour fruit une gousse: fruit sec s'ouvrant à maturité par deux fentes. La fleur des Légumineuses a une corolle en forme de pavillon, avons-nous dit (excepté la Mimeuse), formée d'un large pétale dressé (étendard), de deux pétales latéraux (les ailes), et de deux pétales inférieurs souvent unis par leur bord et ayant la forme d'une coque de vaisseau de l'ancien temps; c'est pourquoi on a donné le nom de carène à cette partie. Ouvrons la corolle; les étamines nous frapperont par leur disposition; elles sont au nombre de dix dont neuf sont soudées ensemble par leur base formant un étui, et laissant la dixième libre de son côté. Il y a quelques exceptions (les Césalpinées).

Avant de dire un mot des principaux genres, il faut absolument que nous sachions que les racines des Légumineuses et de quelques autres plantes portent de petits renflements (nodules) qui sont de véritables manufactures, peuplées d'innombrables bactéries qui absorbent à même le sol un gaz très précieux entrant dans la fabrication des organes de la plante: l'azote. Voici pourquoi on dit, en agriculture, que les Légumineuses sont des plantes améliorantes: plus on en fait pousser dans un terrain, plus ce terrain devient riche en sels à base d'azote. On les appelle engrais verts, lorsqu'on les enterre par labour, à la place du fumier ou des engrais chimiques.

Planche 17: 1. Lupin. — **Trèfle**: 2. T. agraire. — 3. T. des champs. — 4. T. rampant (blanc). — 5. T. hybride (Alsike). — 6. T. des prés (rouge). — 7. Mélilot officinal (jaune). — 8. Luzerne cultivée. — 9. Robinier (arbre cultivé) faux-Acacia. — 10. Oxytropis de Gaspé (rare).

Planche 18: Desmodie: 1. D. cuspidée. — 2. D. du Canada. — **Vesce**: 3. V. sauvage ou multiflore (Jargeau). — 4. V. à quatre graines. — 5. V. cultivée. — 6. Gesse japonaise. — 7. Haricot vulgaire (fève en gousse, mange-tout). — 8. Pois. — 9. Apios (Pénacs). — 10. Amphicarpe.

Planche 19: 1. Cypripède à petite fleur (Sabot de la Vierge). — 2. C. acaule (Sabot rose). — 3. Orchide à feuille ronde. — 4. O. admirable. — 5. Habénaire verte. — 6. H. jaune. — 7. H. dilatée. — 8. H. frangée blanche. — 9. H. à petite massue. — 10. H. obtuse. — 11. H. hyperboréale. — 12. H. frangée pourpre. — 12a. H. lacérée. — 13. H. de Hooker. — 14. Pogonie à langue de serpent. — 15. Calopogon élégant. — 16. Pollinie: masse de pollens.

B) LES TRÈFLES

Ils forment le genre le plus utile en agriculture. En herbier, il convient d'avoir le **Trèfle blanc** ou **Trèfle rampant**, le **Trèfle rouge** ou **Trèfle des prés** et le **Trèfle hybride,** provenant d'un croisement entre le blanc et le rouge et que les habitants appellent par son nom anglais, **Trèfle Alsike.** Le **Trèfle jaune.** Le **Trèfle soyeux** est plus rare (t.des champs). Le **Trèfle Ladino** est un gros trèfle blanc créé en Italie et qu'on préconise en agriculture ainsi que le **Lotier corniculé.**

C) LES LUZERNES

La **grande Luzerne** ou **Luzerne cultivée** à fleurs violettes ou bleuâtres, est très estimée comme fourrage. C'est notre légumineuse fourragère numéro 1, qui ne vient bien que dans la partie plus tempérée du Québec. Point d'histoire intéressant: le premier essai d'installation d'une luzernière dans le Québec remonte aux années 1892 et suivantes, à la ferme de la Trappe d'Oka.

Il existe une petite **Luzerne sauvage** à fleurs jaunes, en grappe globuleuse et menue. On l'appelle **Lupuline** ou **Minette.**

D) MÉLILOTS

Les **Mélilots,** comme les Trèfles et les Luzernes, ont des feuilles à trois folioles, mais leurs tiges dressées (haut. 60 à 130 cm) portent, au sommet de leurs branches, des grappes (en forme d'épi) de fleurs blanches (**M. blanc**) ou de fleurs jaunes (**M. officinal**). On appelle aussi **Trèfle d'odeur** le Mélilot blanc.

E) VESCES

La **Vesce cultivée** n'a qu'une ou deux grosses fleurs violacées presque sessiles à la base de chaque feuille composée de nombreuses folioles quelques-unes de ces dernières se transforment en vrilles parfois. Le **Jargeau** n'est rien autre chose que la **Vesce multiflore.** La **Vesce à quatre graines** est une mauvaise herbe.

F) GESSES

Gesse maritime, ou **G. du Japon,** que l'on rencontre en bas de Québec et au Lac-Saint-Jean, ressemble à un gros pois cultivé, mais à fleurs colorées. **Gesse odorante** est notre Pois d'odeur ou Pois de senteur cultivé. Les **Pois** de table appartiennent à un genre très voisin (*Pisum*).

G) LES HARICOTS

(Nous les appelons ici fèves, fèves en gousse). Il ne faut cependant pas les confondre avec le vrai genre **Fève** (*Faba*), encore moins avec le joli arbre cultivé à fleurs jaunes que l'on appelle **Février à trois épines.**

Nous renvoyons pour les autres genres aux (planches 17 et 18 qui accompagnent ce chapitre).

3. La famille des Orchidées (planche 19)

Après une famille très utile, mentionnons pour terminer une famille aux espèces très rares et très recherchées, croissant à la surface de la terre depuis des siècles et des centaines de siècles. Conçoit-on que cette famille des **Orchidées** se compose de plus de 400 genres et de 15 000 espèces. Les **Orchidées** de notre flore sont de taille modérée et leurs fleurs, très jolies sans doute, sont plutôt de taille ordinaire. Cependant, il faut voir avec quel enthousiasme on rapporte du Brésil et des différentes contrées de l'Amérique du Sud, surtout des régions tropicales, ces immenses fleurs aux couleurs d'une pureté incomparable des Orchidées des pays chauds. On recommande de récolter les Orchidées sans leurs racines, afin de ne pas détruire leurs rares stations.

La planche 19 illustre d'une façon parfaite quelques-unes de nos Orchidées du Québec. C'est une page de la Flore-Manuel.

JUILLET

Chapitre 12
Les Monocotyles

Mettons un peu d'ordre dans les grandes familles qui nous occupèrent précédemment. Traitons dans le sous-embranchement des plantes à fleurs ayant un pistil, la classe des Monocotyles si brillamment représentée au printemps, par la famille importante des **Liliacées**.

1. Caractères des Monocotyles

Surtout des herbes, au Québec, dont les feuilles à contours entiers ont les nervures parallèles. Si on coupe transversalement leur tige, on voit comme à l'intérieur d'une tige de blé d'Inde, par exemple, des petits points nombreux, dispersés dans le tissu. Ce sont les vaisseaux et les tubes criblés, non disposés comme dans les Dicotyles en anneaux annuels, mais par petits groupes isolés. La fleur est aussi très caractéristique avec sa corolle et son calice formés de trois ou six pièces, jamais cinq. De même les étamines sont par 3 ou par 6. La graine n'a qu'un cotylédon, d'où le nom de la classe Monocotyle.

Citons quelques illustres exemples n'appartenant pas à notre flore indigène: 1. La famille des **Palmiers**, des **Cocos** avec 140 genres et plus de 1 200 espèces. 2. La famille de nos « **Glaces** » qui fleurissent bien rarement, mais qui sont classiques dans leurs corbeilles suspendues. 3. La famille de l'**Ananas**; le fruit qu'on mange est formé par une masse charnue ovoïde, surmontée de feuilles et autour de laquelle les organes de la fleur femelle se développent normalement. 4. La famille du **Bananier**, de son beau nom latin *Musa paradisiaca* var. *sapientum*. Les bananes rouges (var. *rubra*) et celles à pelure très mince (var. *Champa*) ne sont que des variétés. Le fruit que nous mangeons est une baie dont les grains avortent pour la plupart. 5. La famille du **Canna** (Balisier) que l'on rencontre dans les parterres très communément, à larges feuilles elliptiques, rougeâtres, à bords entiers enroulés en cornet lorsque jeunes; les fleurs rouges, jaunes, parfois mi-rouges et mi-jaunes forment un épi terminal.

2. Clef des principales familles

Notre flore contient les principales familles suivantes, que nous grouperons en une clef artificielle, c'est-à-dire basée non pas tant sur l'ensemble des caractères des familles incluses que sur un ou quelques caractères faciles à remarquer.

A) PLANTE INCOMPLÈTE

Petite feuille (1-5 mm) flottant sur l'eau: les (**Lemnacées**) Lenticules.

— Plante complète b.

— Ovaire de la fleur non soudé à la corolle.

B) PLANTES AQUATIQUES

1. Famille de la Quenouille (**Typhacées**); fleurs groupées en massues terminales cylindriques. 2. Famille du **Rubanier** (fleurs groupées en boule), des **Potamots** (**Herbe-à-la-perchaude**). 3. Famille de la **Sagittaire** et du **Plantain d'eau** (**Alismacées**). Les fleurs de cette dernière famille ont des pétales voyants, colorés, tandis que celles des trois familles précédentes n'ont pas de périanthe (ni calice, ni corolle). (planches 20 et 21)

Planche 20: Typhacées: 1. Massette (Quenouille) à larges feuilles (a.b.c.). — 2. M. à feuilles étroites. — **Sparganiacées**: 3. Rubanier à gros fruits. — **Najadacées**: 4. Najade flexible; d. feuille. — 5. Zostère marine; e. fruit; f. pistil. — **Joncaginacées**: 6. Troscart des marais. — 7. Scheuchzérie des marais.

C) PLANTES TERRESTRES

1. Famille du **Pied-de-veau** dont les menues fleurs, entourées d'une large bractée (spathe), n'ont pas de périanthe. 2. Les **Graminées** (Céréales) et les **Cypéracées** que nous avons déjà vues ont des périanthes écailleux. 3. Les **Joncs** (**Joncacées**) ont de petits périanthes, verts ou brunâtres, peu voyants; leurs feuilles sont raides, linéaires, planes ou cylindriques. 4. Fleur voyante à 6 étamines: **Liliacées** étudiées en détail à la page 14.

— Ovaire de la fl. soudé à la corolle et au calice c.

— Fleur régulière d.

— Plantes aquatiques: **Hydrocharidacées**. Anacharide (Elodea), **Herbe-à-la barbote**.

— Plantes terrestres:
Fleurs à 6 étamines: **Amaryllidacées**, Glaïeuls, Narcisse.
Fleurs à 3 étamines: **Iridacées**, Iris, Bermudienne.

— Fleur irrégulière: **Orchidacées**, Sabot de la Vierge.

La plupart de ces familles ont été illustrées aux chapitres précédents; nous illustrons les autres familles présentement. (planches 20, 21, 22).

Planche 21: Alismacées: 1a. Plantain d'eau à f. de graminée (a); 1b. Plantain d'eau commun. c. fleur, d. fruit. multiple, e. akène. 2. Sagittaire à large feuille, très variable; f. fruit. 3. Sagittaire à feuille d'Arum, fruit à bec court et dressé. **Hydrocharitacées**: 4. Elodée du Canada, h. fleurs staminée et pistillée. 5. Vallisnérie d'Amérique, i et j. fleur et fruit.

Planche 22: 1. Streptope rose. — 2. Trille dressé (rouge). — 3. Smilace herbacée. — 4. Médéole de Virginie. — 5. Trille ondulé. — 6. Muguet de mai, fleurs. — **Amaryllidacées:** 7. Narcisse des poètes. — **Iridacées**: 8. Iris versicolore (Clajeux); fleur bleue. — 9. Bermudienne: g. B. à feuille étroite; h. B. des montagnes. — Fleurs: a, b. — Fruits: c, d, f. — Rhizome: e.

Chapitre 13
Les Dicotyles

Il est aisé de saisir, du premier coup d'oeil, flottant par-dessus les airs de famille des plantes qui composent notre flore, des grands traits de ressemblance, faciles à reconnaître, et du fait même, importants aux yeux de l'herborisateur. Nous donnions au chapitre précédent, les caractères distinctifs des Monocotyles, à savoir:

— feuilles entières et à nervures parallèles;

— fleurs à calice, corolle, et étamines groupées par trois ou six;

— tige herbacée; vaisseaux et tubes criblés par petits groupes;

— graine avec un seul cotyle.

Voyons maintenant les caractères de la seconde classe des plantes à fleurs ayant un pistil.

1. Caractères des Dicotyles (Dicotylédones)

— feuilles à nervures pennées ou palmées, rarement entières;

— fleurs à calice et à corolle formés le plus souvent de cinq pièces;

— tige souvent ligneuse; vaisseaux et tubes criblés formant des anneaux autour d'un même centre;

— graine avec deux cotyles.

Nous renvoyons, pour plus de détails, à la Flore-Manuel de la province de Québec, pages 67, 123.

2. À l'assaut des Dicotyles

Cette deuxième classe est considérablement plus compliquée que la précédente; les familles qui la composent sont beaucoup plus nombreuses. Il nous faudra donc établir les airs des familles: ce qui sera le couronnement du présent chapitre.

Les premières plantes qui s'empressèrent de fleurir au printemps dernier, furent les arbres et les arbrisseaux porteurs de chatons: Aulnes et Saules, etc. Ceux qui ont déjà ces plantes en herbier, pourront prendre un bout de chaton et le laisser tremper quelques instants dans de l'eau, avant de tenter de voir à quoi s'y réduisent les fleurs.

Parmi nos plantes de juin, on a rencontré, récolté même, d'abondantes fleurs appartenant aux familles des Rosiers, des Renoncules, des Crucifères, etc. Ceux qui ont sous les yeux leurs spécimens (et vous voyez l'importance de se faire une collection aussi complète que possible, de nos plantes indigènes) remarqueront aussitôt de profondes différences entre ces dernières et les fleurs qui composent un chaton. Mais qui dira ces différences?

Continuons cependant notre petite enquête, en récoltant ou en extrayant de nos collections, une fleur de la famille des Éricacées (Bluet, Raisin d'ours, Petit Thé) ou une de celle de la Primevère (Trientale, Steironème, Lysimaque, Primevère) on notera encore d'importantes différences, surtout dans la corolle.

Planche 23: 1. *Saule noir*, a. fruit, b. fleur mâle. — 2. *Saule de Bebb*, c. fleur femelle. — 3. *Saule brillant*, d. fleur femelle. — 4. *Peuplier deltoïde* (Liard), e. fl. femelle. — 5. *Peuplier balsamifère* (tacamahacca), f. fl. mâle. — 6. *Peuplier blanc*, ou à feuille d'Érable. — 7. Tremble (P. faux-Tremble). — 8. Peuplier à grandes dents. — 9. Peuplier d'Italie. — 10. Peuplier de Caroline.

Planche 24: Urticacées: 1. Houblon. — 2. Chanvre. — 3. Mûrier. — 4. Ortie élevée. — 5. Ortie des bois. (O. du Canada). — 6. Ortie naine (Pilée). — 7. Fausse Ortie cylindrique. — 8. Asaret du Canada (Gingembre sauvage). — 9. Comandra à ombelle.

Planche 25: Aizoacées: 1. Mollugine verticillée. — **Caryophyllacées**: 2. Spergulaire rouge. — 3. Spargoute des champs. — 4. Arénaire latériflore. — 5. Arénaire péploïde. — 6. Stellaire à f. de Graminée. — 7. Stellaire à long pied. — 8. Stellaire moyenne. — 9. Céraiste vulgaire. — 10. Céraiste des champs. — Fleurs et fruits.

3. Les Apétalées

Les Dicotyles jadis furent subdivisées par les botanistes en quatre groupes qu'ils appelèrent Apétalées, Pétalées, Polypétalées et Sympétalées. Il y a d'abord les Apétalées, dont les fleurs ne se composent que des organes reproducteurs (étamines, pistil, en une seule fleur ou en des fleurs séparées), sans aucune trace de calice ou de corolle. Si on parvient à isoler une fleur du chaton de Saule, on voit qu'elle n'est formée, en effet, que d'un pistil ou d'un petit groupe d'étamines fixées sur un bourrelet charnu. Les Aulnes comme les Saules et les Peupliers sont donc des Apétalées.

4. Les Pétalées

Si nous examinons les autres arbres qui fleurissent en mai et en juin, ceux de la famille des **Juglandacées** (Noyer), des **Bétulacées** (Bouleau, Merisier, Bois de fer), des **Fagacées** (Chêne, Hêtre), nous verrons un minuscule calice qui commence à poindre, ressemblant fort à de vulgaires bractées. Il faut aller, dans les familles à fleurs plus développées, pour trouver un calice (ou corolle) bien distinct. Par exemple, dans le Gingembre sauvage, les Renouées, l'Oseille, le Sarrasin: ce sont les Pétalées.

5. Les Polypétalées

Sous ce nom, plus difficile à retenir, se cache simplement le grand groupe des fleurs ayant calice et corolle, mais dont les sépales et les pétales sont libres, indépendants les uns des autres. Examinons nos Stellaires, nos Renoncules, nos Rosacées, les Mauves, les Violettes, les Ombellifères, etc., elles appartiennent toutes à ce groupe, que l'on appelle aussi, en langage haut-scientifique, Dialypétalées.

6. Les Sympétalées

Quelle mauvaise impression causent tous ces mots commençant par syn ou sym qui est la même chose! Ne parlons que des syntaxes de toutes les grammaires française, anglaise, latine, grecque et autres, qu'il nous a fallu apprendre et réapprendre tant de fois pour en oublier ensuite sitôt un aussi gros morceau. Cette racine « syn ou sym » ne veut pas dire ici, en botanique, que les fleurs méritant ce malheureux nom cessent d'être très gentilles et très jolies, mais simplement que les pièces de leur calice et de leur corolle sont soudées en un tube plus ou moins long. Les principales familles entrant dans ce groupe sont: les Éricacées, Primulacées, Oléacées (Lilas), Gentianacées, Apocynacées, Asclépiadacées, Labiées, Rubiacées, Cucurbitacées, Lobéliacées, Composées, etc.

La fleur d'une Éricacée (Bluet) a dix étamines: celles de la Marguerite des champs, toutes petites et groupées en capitules, n'en ont que cinq. Il y a encore plusieurs autres différences que l'expérience révélera.

7. La famille du Baume (Menthe)

Parmi les familles ayant des fleurs complètes dont le calice et la corolle sont soudés en tube, celle qui a intéressé sans doute le plus les jeunes botanistes amateurs durant les mois de juillet et d'août, a été sans contredit la famille des Menthes que l'on appelle aussi des Labiées, parce que les fleurs irrégulières ont, d'un côté, une sorte de lèvre ou labelle.

Vaste famille qui est celle du Thym, de la Sauge, de la Germandrée, du Romarin, des Lavandes, de la Marjolaine, de l'Hysope, du Basilic, de la Sarriette, etc., c'est aussi celle des Menthes composée de 160 genres environ et de 3 200 espèces. Ouf! Mais rassurons-nous, les principaux genres que comporte notre flore se réduisent à une ' quinzaine, faciles à reconnaître pour la plupart.

Planche 26: Renoncule: 1. R. à long bec (aquatique). — 2. R. naine. — 3. R. abortive. — 4. R. scélérate. — 5. R. à bec recourbé. — 6. R. septentrionale. — 7. R. âcre. — **Hépatique**: 8. H. d'Amérique. — 9. H. à lobes aigus. — **Pigamon**: 10. Grand Pigamon. — 11. P. dioïque. — **Anémone**: 12. A. cylindrique. — 13. A. à cinq feuilles. — 14. A. de Virginie. — 15. A. du Canada.

8. Caractères des Labiées

Herbe à tige quadrangulaire, ou carrée sur une section; à feuilles opposées, simples, pourvues de poils sécréteurs et produisant des huiles essentielles, que nous appelons « Baume » dans les Menthes et qui sont en réalité des principes aromatiques ayant souvent des propriétés médicinales remarquables. Qui donc ne connaît la mystérieuse influence qu'a le Népète Chataire sur les chats? Le célèbre botaniste amateur, S. Mathews, ne nous raconte-t-il pas quelque part que son vieux minou faisait jusqu'à un mille et demi pour atteindre une touffe de cette herbe, qui produit sur l'organisme de ces félins domestiqués des perturbations si profondes. L'animal se roule sur cette plante avec les marques d'un incomparable bien-être. Au même genre appartient le petit Lierre terrestre, à tige couchée et à feuilles arrondies, crénelées, vénéneuses aux chevaux, (planche 31).

Presque tous les genres ont quelque vertu médicinale, ainsi qu'on pourra le constater en se reportant à la liste des plantes médicinales de notre Flore-Manuel (pages 282-283). Plusieurs d'entre ces genres ont des fleurs très ornementales que l'on cultive; la Monarde rouge est d'un effet saisissant, la Monarde fistuleuse, à fleurs mauves, bien que sauvage, pourrait être avantageusement cultivée à côté de sa soeur à capitules écarlates.

Mais, avouons que les caractères employés pour classer les genres des Labiées sont délicats à manoeuvrer et demandent à l'herborisateur un matériel bien séché, en fleurs et en fruits, si possible. Il aura à disséquer les fleurs, s'il veut bien voir les caractères techniques usités, dans plus d'un cas. Toutefois, l'habitude permet de les distinguer tous à vue d'oeil. On trouvera dans la Flore-Manuel (p. 222) une clef fort détaillée conduisant aux genres et aux espèces.

Terminons cette description sommaire de nos Labiées en disant que la corolle est le plus souvent bilabiée; étamines 4, égales ou deux longues et deux courtes; ovaire à deux carpelles formant quatre loges à un ovule. Le fruit est un tétrakène ou fruit sec, indéhiscent, groupé par quatre.

On serait peut-être curieux de connaître les voisins de cette famille. D'une part, les **Labiées** sont apparentées avec les **Scrofulariacées** auxquelles elles ressemblent par leurs fleurs et leurs fruits et d'autre part, aux **Boraginacées** qui ont cependant des fleurs le plus souvent régulières.

9. Clef des ordres des Polypétalées

Les plantes ayant des pétales et des sépales libres peuvent se classer comme suit:

A) L'ordre des **Ranales**, dont les carpelles ou chambres de l'ovaire sont solitaires, ou, si plusieurs, distincts. Les étamines, qui prennent naissance sous le pistil, sont plus nombreuses que les sépales.

Tous, nous devinons quelles familles entrent dans ce groupe, pour peu que nous ayons compté les étamines, remarqué le lieu où elles se soudent à la base. Appartiennent donc à cet ordre les familles suivantes:

— **Nymphéacées** (Lis d'eau et Nénuphar).

— **Renonculacées** (Anémones, Pigamons, Hépatiques, Renoncules, Clématites, Actées, Ancolie, Coptide, Populage, etc.) voir les tableaux 7 et 9 dans les chapitres 5 et 6.

— **Berbéridacées** (Épine-vinette, Léontice et Podophylle). Chacun sait que l'Épinette-vinette porte la terrible rouille du blé, que le Léontice avec ses grosses

Planche 27: 1. Julienne des Dames. — 2. Vélar fausse Giroflée. — 3. Cresson de fontaine. — 4. Raifort aquatique. — 5. Rorippe d'Islande. — 6. Cochlearia. — 7. Barbarée (Cresson d'hiver). — 8. Dentaire laciniée. — 9. Dentaire à deux feuilles. — 10. Cardamine de Pennsylvanie. — 11. Cardamine bulbeuse. — 12. Arabette à fruits divariqués.

baies, semblables à des bluets, mais qui ne sont en réalité que des graines sont vénéneuses. Le Podophylle, appelé par les Anglais May Apple, très rare dans Québec, fleurissant en mai, est une plante médicinale remarquable. (planche 4)

— **Ménispermacées** (l'unique Ménisperme du Canada) (planche 4).

L'ordre des Ranales compte encore des genres illustres tels: le Magnolia, le Laurier et la Cannelle.

B) L'ordre des **Papavérales**, dont les carpelles sont unis en un ovaire composé, avec des étamines prenant naissance sous le pistil. Il comprend les familles suivantes:

— **Papavéracées**: plantes renfermant un lait (latex), soit rouge (Sanguinaire), soit jaune (Chélidoine), soit blanc (Pavot). Ces plantes sont médicinales. On extrait particulièrement l'opium et la morphine du Pavot somnifère. Les Coquelicots à grande fleur rouge que les cultivateurs aiment tant semer dans leurs parterres donnent des fruits arrondis qu'il ne faut pas faire sucer aux bébés, en guise de calmant. Cette plante est plutôt toxique, et tout en calmant peut causer les plus grands désordres dans ces frêles organismes. (planche 4)

— **Fumariacées**, famille des Coeurs-saignants cultivés, qui compte deux genres dont nous avons parlé dans un chapitre précédent, sont d'une grande beauté dans nos bois.

— **Crucifères**, vaste famille d'herbes: 210 genres et 1 900 espèces. Feuilles isolées, entières ou diversement découpées. Fleurs régulières; sépales et pétales 4, disposés en croix, étamines 2 courtes et 4 longues; ovaire supérieur à deux chambres. Fruit, capsule s'ouvrant par quatre fentes (silique). Le goût caractéristique des Crucifères (Moutarde, Radis, Cresson, etc.) est dû à deux substances chimiques qui se mêlent, quand on broie la plante, donnant du glucose, de l'acide sulfurique et de « l'essence de Moutarde » (un sulfocyanure d'allyle). Nos principaux genres peuvent se classer comme suit:

a) Pétales jaunes:

— Fruit très court: Neslie, Rorippe, Lesquerelle, etc.

— Fruit long: Moutarde, Barbarée (Cresson d'hiver), Vélar, Sisymbre (Moutarde roulante) etc.

b) Fleur blanche ou plus ou moins pourpre:
— Fruit long: avec étranglements: Radis, Caquillier, etc.

— sans étranglements ou sans cloisons transversales.

Tabouret, Passerage, Bourse-à-pasteur, Drave, etc., ont des siliques rondes ou très courtes.

Cresson, Raifort et Néobeckie, Dentaire, Arabette, Julienne, Cardamine, ont des siliques longues. (planche 27).

10. Les légumes Crucifères

On sait toutes les Crucifères importantes et intéressantes qu'il est possible de récolter dans un simple jardinet. Les Choux, au grand scandale des littérateurs, ne sont que de vulgaires Moutardes. Essayons de classer les différentes sortes de Choux que l'on rencontrera sur les marchés.

Planche 28: Hamamélidacées: 1. Hamamélis de Virginie. — **Rosacées**: 2. Physocarpe (Sept-Écorces). — 3. Spirée à large feuille. — 4. Spirée rose. — 5. S. à feuille de Sorbier (Sorbaria). — 6. Aronie à fruit noir. — 7. Amélanchier (Petites Poires): f. A. stolonifère; g. A. du Canada; h. A. sanguin. — 8. Aubépine (Senellier, Cenellier). — 9. Fraisier de Virginie; k. F. du Canada. — Potentille: 10. P. des marais. — 11. P. du Canada. — 12. P. de Norvège. — 13. P. Ansérine.

— Chou potager (*Brassica oleracea* L.)

— Chou pommé (Cabus), blanc, vert ou rouge; à feuilles lisses ou frisées, à tête pointue, ronde ou plate.

— Chou-fleur et Brocoli.

— Chou de Bruxelles.

— Chou vert (moëllier), que l'on vend pour la feuille.

Il y a pis encore. Croira-t-on que le Navet, lui aussi, est une Moutarde (*Brassica Rapa* L.). Les Raves (*Brassica Napus* L.) sont aussi des Moutardes, de même que le fameux Chou de Siam ou rutabaga (*B. Napobrassica* Mill.) si estimé des cultivateurs d'en bas de Québec. On cultive encore le Colza (Navette), variété de Chou-rave dont les graines fournissent une huile bonne à brûler.

La Moutarde noire qui donne la moutarde du commerce, excellent condiment; employé en médecine comme rubéfiante (mouche de moutarde) et à l'intérieur comme purgative et antiscorbutique.

Les Moutardes que l'on rencontre dans les champs sont la Moutarde des champs et la Moutarde des oiseaux. L'Herbe-au-Chantre, dont on ferait un sirop contre l'enrouement, est la Sisymbre officinale.

Comme ornementales, on cultive les plantes suivantes: Lunaire, remarquable par la cloison soyeuse de ses larges silicules. Giroflée, à fleurs jaunes, roses ou pourpres, très odorantes. Le Pastel, l'Ibéride, Peltaire, Mathiole, etc.

Il nous reste tant à voir cependant, que nous n'insisterons pas davantage sur la famille des Crucifères. Nous renvoyons les lecteurs à notre Flore-Manuel.

11. Plantes insectivores

L'ordre suivant, dans la subdivision des Polypétalées, est celui des Sarracéniales, comprenant deux familles de plantes tuant les insectes. D'abord, la Sarracénie pourpre, que l'on appelle aussi dans le pays, la coupe du chasseur, les « petits cochons de plé » (plaine), est une plante de tourbières dont la tige fleurie est entourée de feuilles persistantes, en forme de vase, gonflées vers le milieu et **contractées à l'ouverture**. Ces feuilles se prolongent d'un côté en une langue dressée et cordée, couverte en dedans de poils piquants inclinés vers l'intérieur du vase. Les insectes qui tombent au fond de ces feuilles, contenant toujours de l'eau, finissent par se noyer, ne pouvant plus sortir de leur prison.

Il n'est pas certain que les insectes qui s'accumulent au fond de cette « coupe du chasseur » servent à l'alimentation de la plante; les racines de leur côté suffisent à la nourrir.

La seconde famille des plantes insectivores est celle des **Droséracées**. Qui ne connaît le **Droséra** à feuilles rondes que les Anglais appellent Sundew? Petite plante des tourbières ou des rivages sablonneux, formée d'une touffe de feuilles étalées sur le sol et munies supérieurement de poils irritables, rougeâtres, glanduleux, excrétant un liquide visqueux, brillant au soleil ainsi que des diamants ou des gouttes de rosée. Les insectes, attirés par l'éclat de ces gouttes visqueuses, se jettent sur les feuilles avec confiance. En un rien, elles sont tout engluées. Alors, la feuille se referme comme une main, et à l'intérieur de ce poing fermé, la pauvre victime meurt.

12. L'ordre des Rosales

Plantes à ovaire supérieur, carpelles solitaires, où, s'ils sont plusieurs, distincts, rarement unis; les étamines sont soudées autour et au-dessus de l'ovaire, non en dessous du pistil. Les sépales confluent avec le receptacle concave.

Cet ordre est surtout remarquable, dans notre flore, par les deux grandes familles des **Rosacées** et des **Légumineuses** qu'il renferme. Deux familles de moindre importance méritent mention: les **Crassulacées** (Orpin, Sédum ou Vit-toujours) excessivement difficiles à sécher, à cause de l'épaisseur des tissus très charnus et de la forte cutine qui les recouvre; les **Saxifragacées** (Mitrelle, Tiarelle, Saxifrage, Dorine, Parnassie, Groseillier et Gadelier, etc.), voir la Flore-Manuel, page 167. Les familles des **Podostémacées** et celle des **Hamamélidacées** ont peu d'importance dans notre flore. C'est sans doute en punition des deux affreux noms dont on les a revêtues! L'ordre des Rosales compte encore 13 familles, entre autres, celle des Platanes ou Sycomores, de plus en plus rares au Canada. (planches 17, 18 et 28)

13. Géraniales et Sapindales

Sous le premier nom, Géraniales, on devine que se cache notre implacable Géranium à feuilles rondes et à fleurs écarlates, roses ou blanches, qui n'est au fond qu'un Pélargone. C'est ici que se classent la famille du Lin cultivé (Linacées), celle de la Capucine, celle des petites « Surettes » qui ressemblent tant à ce petit Trèfle que les Irlandais adoptent comme leur Shamrock.

Attention! Il reste encore deux glorieuses familles dans les Géraniales: 1) celle des Euphorbiacées, contenant plus de 4 000 espèces. Famille du Caoutchouc, du Tapioca, du Buis, de la Mercuriale, du Ricin (huile de castor); 2) celle des Rutacées, possédant dans notre flore une seule plante: le Frêne piquant, ou Clavalier d'Amérique. Mais sous les tropiques, c'est la famille de l'Orange, Citron, Limon, Tangerine, Pamplemousse. Arrêtons-nous, l'eau en vient à la bouche. Voilà pour les Géraniales.

Les Sapindales cachent les familles suivantes, que nous nommons rapidement:

— **Empétracées** (Camarine noire)

— **Célastracées** (Bourreau des arbres)

— **Anacardiacées** (Herbe-à-la-puce, Vinaigrier)

— **Aquifoliacées** (Houx, qui donne un excellent thé, le Némopanthe)

— **Balsaminacées** (Impatience et Balsamine)

Le Staphylier, gentil arbuste de nos sous-bois, recouvrant nos sols d'alluvion calcaire, et le Marronnier commun, planté avec beaucoup de goût, appartiennent au présent ordre.

Enfin, la famille de nos Érables (Acéracées) se classe ici. Souvenons-nous en.

SEPTEMBRE

Chapitre 14
Du Nerprun à la Violette

1. Les Rhamnales

Continuons à progresser dans le groupe aussi considérable qu'important de nos dicotyles, dont les fleurs ont des calices et des corolles à sépales et à pétales libres. Au chapitre précédant, avec beaucoup de sang-froid, nous voyions en bref les ordres renfermant le Géranium et l'Érable, dont les fleurs ont des étamines opposées aux sépales, le plus souvent, aussi nombreuses ou moins nombreuses qu'eux. Il existe un ordre de peu d'importance, dans notre flore, où les étamines des fleurs sont alternes avec les sépales et aussi nombreuses qu'eux. C'est l'ordre du Nerprun (Rhamnales), dont plusieurs espèces sont purgatives. Le laxatif fameux « Cascara Sagrada » provient de l'écorce d'un Nerprun de l'Ouest de l'Amérique du Nord. Le Nerprun commun ou cathartique se plante en haie vive. À cet ordre appartient encore le Céanothe, spécial à notre flore, le Jujube et le « Paliure couronne d'épines ». Une famille voisine, rattachée cependant aux Rahmnales, est celle des diverses Vignes de raisins sauvages, semi-sauvages et cultivées. Les Vignes vierges ou grimpantes sont du présent groupe.

2. Les Malvales

Quoique très différents d'apparence, le Tilleul et la Mauve appartiennent à un même ordre (Malvales). Tous deux ont les fleurs à étamines très nombreuses et à ovules fixés sur l'axe central de l'ovaire. Le Cotonnier, le Cola et le Cacao sont des Malvales.

3. Les Pariétales

L'ordre suivant, qui renferme les Violettes et les Millepertuis, se rapproche du précédent, mais avec des ovules fixés sur la paroi de l'ovaire, non sur un axe central. Les pauvres savants qui ont édifié la présente classification, furent obligés d'avoir recours à des caractères joliment « enfouis », pour différencier les 400 000 espèces de la flore mondiale; ils les ont groupées en des familles qui sembleront peut-être mêlées, au premier coup d'oeil, mais qui sont en réalité très parentes, si l'on ne considère que la structure de la fleur et de ses organes reproducteurs. Heureusement que notre flore, avec un nombre de genres et d'espèces relativement bas, n'offre pas de grosses difficultés pour l'identification des plantes que nous voyons actuellement.

Il y a une quantité de bonnes différences qui sautent aux yeux, différences que le botaniste amateur ne peut pas ne pas voir. Personne, en effet, ne confondra notre gigantesque Bois-blanc ou Tilleul d'Amérique avec la sympathique Mauve étalant partout autour de nos maisons les disques verts de ses feuilles rondes.

Enfin, arrivent les Violettes (Violacées) et les Millepertuis (Hypéricacées) les premières ont des fleurs irrégulières, les secondes des fleurs régulières. Une fleur est régulière lorsque l'on peut lui trouver un centre, autour duquel s'étalent uniformément des pièces de même valeur. Ainsi la fleur de la Pensée cultivée est irrégulière; celle de la Rose est régulière. L'ordre des Violettes et des Millepertuis s'appelle ordre des Pariétales, et il renferme, en outre des deux familles déjà mentionnées, les familles très importantes suivantes:

— **Théacées**, famille du thé (Camelia, Thea)

— **Tamaricacées**, le Tamarix est un arbuste à feuilles d'Éricacée et à petites fleurs roses d'un effet très ornemental.

— **Passifloracées**, fleur de la Passion ou Passiflore.

— **Bégoniacées**, famille des Bégonias, 400 espèces.

4. Du Bois de plomb à la Ciguë maculée

A) LES OPONTIALES

Les quatre ordres qui suivent ont tous des fleurs à ovaire inférieur, c'est-à-dire soudé au calice. Le premier renferme les Cactus et autres plantes très charnues des déserts tropicaux; 100 genres et 1 000 espèces; c'est l'ordre des Opontiales.

B) LES THYMÉLÉALES

Vient ensuite le petit groupe du Bois de plomb, du Daphné, du Chalef argenté, ces deux derniers cultivés. Sur les rochers et les rivages calcaires, en juin, on voit fleurir la Shéferdie du Canada (Voir la Flore-Manuel, planche 61).

C) LES MYRTALES

L'ordre des Myrtales, qui renferme 20 familles n'est représenté dans le Québec que par trois familles.

— Famille de la Salicaire commune: jolie plante formant, sur les deux rives du Saint-Laurent, entre Québec et Montréal, une bordure de fleurs pourpres violacées, groupées en longues grappes serrées d'un effet remarquable.

— Famille de l'Onagre, remarquable par ses Épilobes, ses Circées et ses Onagres troublantes en génétique.

— Famille des Myriophylles, plantes aquatiques aux feuilles découpées d'une façon exquise, formant la verdure des aquariums avec Élodea et quelques autres à feuilles moins dentelées.

D) LES OMBELLALES

Enfin, voici le dernier ordre (des Ombellales) de cette grande sous-classe ou division des Dicotyles polypétalées. Il ne renferme que trois familles intéressantes à différents titres. Voyons-les rapidement.

A) LES ARALIACÉES (FAMILLE DU GINSENG)

Famille surtout tropicale, comptant 52 genres et 500 espèces. Notre flore est fière de ses deux genres:

— Aralie, qui comporte trois espèces:

— A. à grappes (anis sauvage), dont les petites baies pourpres, juteuses, sont comestibles, médicinales même, comme celles des autres espèces d'ailleurs;

— A. hispide, tout hérissée d'aiguillons à la base qui est lignifiée;

— A. à tige nue, ou Salsepareille.

Le Lierre et Oplopanax (source d'insuline) sont des Araliacées.

B) LES CORNACÉES (FAMILLE DU CORNOUILLER) (planche 9)

Cette famille est représentée dans la flore du Québec par le seul genre Cornouiller, dont nous comptons cependant plusieurs espèces. Le petit Quatre-Temps des habitants est le Cornouiller du Canada mêlant sa petite note blanche aux divers tons de nos sous-bois de Conifères et des épais fourrés de nos tourbières. Nos gens de la

Planche 29: *Sanicle*: 1. S. grégaire. — 2. S. trifoliée. — 3. Hydrocotyle d'Amérique. —
Osmorhize: 4. O. de Clayton (à bec court). — 5. O. à long bec. — 6. Ciguë maculée. —
Cicutaire: 7. C. maculée. — 8. C. bulbifère. — 9. Care Carvi. — 10. Berle suave. — Fleurs
(b,f). — Fruits (a,g).

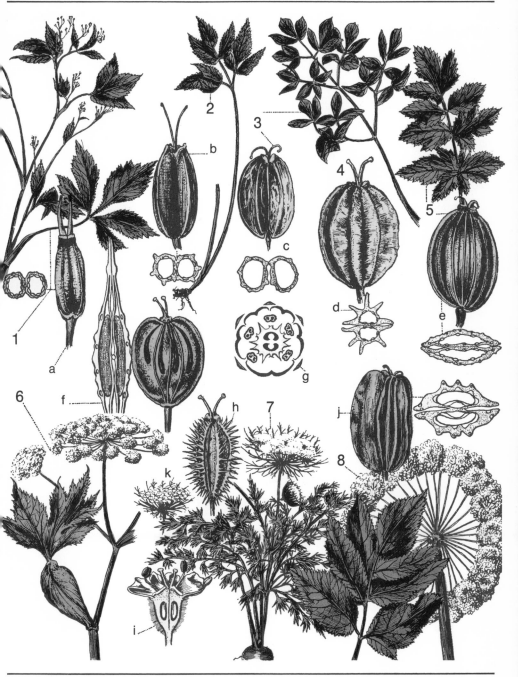

Planche 30: 1. Cryptoténie du Canada. — 2. Zizie dorée. — 3. Ténidie très entière. — 4. Thaspie (à rechercher). — 5. Panais cultivé (redevenu sauvage). — 6. Grande Berce. — 7. Dauce Carotte, i. fleur, k. inflorescence. — 8. Angélique pourpre foncé. — Fruit et coupes transversales (a, j). — Diagramme des Ombellifères (g).

campagne connaissent très bien l'Osier rouge, ou comme ils disent les Harts (ouarres) rouges avec lequel ils font des paniers à patates et des fouets. Les jeunes font des sifflets avec les grosses branches dont l'écorce n'a pas encore crevassé à la saison de la sève nouvelle. Il y a aussi quelques espèces sauvages et une cultivée, le Cornouiller de la Floride, arbuste d'ornementation est populaire un peu plus au sud.

C) LES OMBELLIFÈRES (FAMILLE DE LA CIGUË) (planches 29-30)

Vaste famille naturelle, bien marquée par ses inflorescences en ombelles simples ou composées; appartenant surtout aux régions tempérées du globe. Herbes le plus souvent vivaces, à larges feuilles alternes, découpées et attachées à la tige par de puissantes gaines. Les tiges sont cannelées, creuses, traversées de vaisseaux ou simplement de cellules remplies d'huile. Étamines 5, insérées sur un disque ou petit bourrelet, couronnant l'ovaire qui est inférieur. Le fruit est un diakène dont la forme fournit un caractère d'identification de premier ordre. Environ 250 genres, et 1 500 à 2 000 espèces.

Nous ne pouvons clore ce paragraphe sur les Ombellifères, sans rappeler que cette dernière famille renferme des légumes (Carotte, Panais, Céleri, Persil, Cerfeuil, Fenouil, Anis, Cumin, etc.) de toute première valeur, dont l'arôme est remarquable. Par contre, gare aux faux panais que sont les carottes-à-Moreau, Cicutaires et Ciguë souvent introduites. Ceux qui ont croqué les longues « graines » de l'Osmorhize, que les Anglais nomment plus doucement « Sweet Cicely », savent quel goût de réglisse on en obtient.

Au chapitre suivant, nous entreprendrons le dernier grand groupe des Dicotyles dont les pétales sont soudés bord à bord en un tube plus ou moins long. Cette seconde sous-classe commence par les Éricacées (famille du Bluet), dont nous avons ample-ment parlé précédemment. Ceffe famille, à elle seule, forme l'ordre des Éricales, dans notre flore.

Chapitre 15
Les Sympétalées

On a fait connaissance avec la seconde sous-classe des Dicotyles, dont les pétales sont soudés bord à bord, en un tube plus ou moins long. Cette dernière sous-classe nommée jadis sympétalées, se subdivise à son tour en deux groupes ou séries: a) avec 5 cycles de pièces, b) avec 4 cycles de pièces. Mais expliquons-nous.

1. Sympétalées à 5 cycles de pièces florales

Dans ces fleurs, il y a 5 sépales, 5 pétales, 10 étamines et 5 carpelles. Il faut diviser les 10 étamines en deux groupes de 5, si l'on veut trouver les 5 cycles en question.

Il n'y a que 3 ordres dans cette série, à savoir:

a) Les Éricales, qui contiennent la famille des Éricacées: plus de 90 genres et 1 400 espèces, divisées en 4 sous-familles, 5 ou 6 tribus; elles renferment nos Bluets, Pyroles, Rhododendrons, Kalmias, etc. Prière d'aller voir à un chapitre précédent pour le développement de cette famille.

b) Les Primulales, ne contenant que deux familles, celle des « Lavandes-de-mer » ou Statice et celle des Primulacées, avec 30 genres et 700 espèces, bien représentées dans les régions boréales, tempérées ou froides. Cette dernière famille est remarquable par les genres suivants: Trientale, Lysimaque, Steironème, Glaux, Primevère, Mouron, et par quelques autres, plus rares, que l'on rencontre dans le Bas-Québec. N'oublions pas que nos fameux Cyclamens cultivés, à feuilles cordées-réniformes, à pétales réflexes et à racine tubéreuse, appartiennent à cette famille.

c) Les Ébénales, famille tropicale d'arbres aux bois lourds et durs, dont la classique ébène ou Plaqueminier.

2. Sympétalées à 4 cycles de pièces florales (5 sépales, 5 pétales, 5 étamines, 5 carpelles).

Cette seconde série des Sympétalées possède 6 ordres intéressants, dont trois avec des fleurs ayant ovaire supérieur. Au tout sommet du règne végétal, se classent les autres ordres de Sympétalées à 4 cycles floraux avec ovaire infère; mais commençons par dire un mot des trois premiers.

A) DU LILAS À L'ASCLÉPIADE

Le premier ordre est celui des Gentianales, ou encore curieusement appelé Contortées, à cause d'une certaine torsion que subissent les pièces de la fleur encore en bouton. Il renferme, chez nous, les quatre familles que voici:

a) Les **Oléacées**, dont la fleur n'a que deux étamines et dont la tige est ordinairement ligneuse; c'est la famille de l'Olivier, du Jasmin, du Troène, du Lilas et du Frêne.

b) Les Gentianacées forment une famille cosmopolite de 65 genres environ et de 600 espèces. Herbes, riches en principes amers et fébrifuges (chassant la fièvre), à feuilles opposées. Qui ne connaît nos Gentianes. La Gentiane close et la G. linéaire; sur les grèves de l'estuaire du Saint-Laurent, aux alentours de Québec tout spécialement, il y a lieu de signaler une de nos plus belles Gentianes, la Gentiane de Victorin. Le golfe possède aussi ses espèces de Gentianes. Dans la même

Planche 31: Verbénacées: 1. Verveine blanche, à f. d'Ortie. — 2. Verveine bleue ou hastée. — **Labiées**: 3. Germandrée occidentale. — 4. Scutellaire à grande fleur ou à feuille d'Épilobe. — 5. Scutellaire latériflore (à petites fleurs). — 6. Agastachè faux-Népète. — 7. Népète Chataire (Herbe-aux-chats). — 8. Lierre-terrestre. — 9. Dracocéphale à petite fleur (Moldavica). — 10. Physostégie de Virginie. — 11. Prunelle vulgaire (Brunelle). — Fleurs (a, b, d, e, f). — Fruits (c, g). — Étamines (h, j). — Tige (i).

Planche 32: Lentibulariacées: 1. Utriculaire vulgaire. — 2. Utriculaire intermédiaire. — 3. Grassette vulgaire. — **Orobanchacées**: 4. Épifège de Virginie. — 5. Orobanche à une fleur. — **Bignoniacées**: 6. Catalpa. — **Acanthacées**: 7. Justicia d'Amérique (*Dianthera*). — **Phrymacées**: 8. Phryma à épi grêle. — **Plantaginacées**: 9. Plantain lancéolé. — 10. Plaintain majeur.

famille, deux plantes aquatiques sont connues des botanistes amateurs ne craignant pas d'herboriser à l'eau:

Le Trèfle d'eau ou Ményanthe à trois feuilles fleurissant au printemps avec beaucoup de beauté.

La Nymphoïde lacuneuse, que les Anglais appellent avec grâce: Floating Heart.

c) Les Apocynacées, dont les tiges secrètent un jus laiteux, forment une vaste famille tropicale de 130 genres et de 1 100 espèces, dont plusieurs cultivées. Un seul genre dans notre flore: l'Apocyn à feuilles d'Androsème, aussi appelé faussement « herbe-à-puce », et l'Apocyn Chanvrin.

d) Les Asclépiadacées renferment aussi du lait dans les tissus de leur tige. Genres 220, espèces 1 900. Les feuilles sont opposées, les grains de pollen groupés en masses (pollinies) comme chez les Orchidées. Cette famille n'est représentée que par le genre Asclépiade, dans notre flore. Deux espèces sont surtout connues:

— Asclépiade de Syrie (A. de Cornut, Cotonnier), mauvaise herbe à tige épaisse, pubescente, ainsi qu'en dessous des feuilles qui sont oblongues-ovées. Les fleurs nombreuses pendent en grosses grappes, couleur pourpre, lavande ou jaune verdâtre.

— Asclépiade incarnate est une plante de marécage à feuilles glabres, plus étroites, à fleurs odorantes d'un rouge vif. Avec le lait ou latex de plusieurs Asclépiades, on peut faire du caoutchouc.

Ce premier ordre des Gentianales groupe encore les Loganiacées, qui renferment le genre de la strychine: *Strychnos*. Deux autres espèces du même genre ont des vertus très diverses: le Strychnos colubrin est un antidote contre les piqûres de serpents venimeux, et le S. toxifère est un poison violent avec lequel certains sauvages empoisonnent leurs flèches.

B) LES TUBIFLORES

Enfin, voilà un nom que l'on peut comprendre. Ce second ordre que l'on appelle aussi des Polémoniales, se compose de 22 familles, dont 10 au moins sont très importantes dans notre flore. Mentionnons-les rapidement en les accompagnant d'une brève glose.

a) Les Convolvulacées ou famille du Liseron, de la patate sucrée et des Gloires-du-matin.

b) Les Cuscutacées. Un seul genre de plantes parasites, privées de chlrophylle, s'enroulant autour de certaines plantes hospitalières (Légumineuses, Composées, Urticacées, Labiées, etc.). Grâce à des suçoirs qu'elles développent au point de contact, les Cuscutes peuvent se déraciner elles-mêmes, afin de ne vivre qu'au détriment d'autrui, sans gagner leur vie.

c) La famille des Phloces ou Phlox.

d) Famille de l'Hydrophylle de Virginie, plante de nos bois francs dont on distingue une couple de formes à fleurs blanches et à fleurs bleuâtres.

e) Les Boraginacées ou famille de la Vipérine avec de nombreuses espèces de plantes rudes, hérissées de poils, dont les fruits sont des akènes groupés par quatre et souvent garnis de crochets. On leur a aussi donné des noms évocateurs, tels: Langue de chien, Beggar's Lice, Stickseed. À côté de ces plantes assez repoussantes, il y a l'Héliotrope et le Myosotis, à corolle bien étalée, délicate et d'un bleu de turquoise. Le Grémil est une mauvaise herbe pour les cultivateurs, mais les vieux lui portent un grand respect, lui attribuant des vertus médicinales importantes, surtout contre la maladie de coeur.

f) Les Verbénacées ou famille de la Verveine; nous en avons une blanche et deux bleues qui mériteraient d'être cultivées, (planche 31).

g) Les Labiées, vaste famille dont nous avons déjà parlé, remarquable par ses menthes (cf. chapitre 13 et planche 31).

h) Les Solanacées ou famille de la Pomme de terre, de la Tomate, de l'Aubergine, du Tabac, etc. Nous renvoyons le lecteur à la Flore-Manuel, où plusieurs notes importantes développent le point de vue agricole, pages 226-228. N'oublions pas que cette famille renferme encore les Cerises de terre, la Jusquiame, et à l'état cultivé, la Belladone, le Pétunia, la Mandragore, le Dature, et le Piment (Capsicum), (planche 33).

i) Les Scrofulariacées ou famille de la Véronique, importante avec ses 180 genres et ses 3 000 espèces. C'est la famille de la Digitale, de la Molène, de la Linaire, du Muflier, de la mimule, du Mélampyre, etc.

j) Famille de l'Utriculaire. Plante aquatique, à feuilles finement découpées, portant souvent de petits sacs membraneux (utricules), (planche 32).

k) Famille de l'Orobanche et de l'Épifège. Parasites, (planche 32).

l) Famille du Phryma à épi grêle. Sous-bois franc en août, (planche 32).

Le 3e ordre des Sympétalées à ovaire supérieur est celui des Plantaginales, qui renferment nos Plantains (planche 32).

C) LES TROIS DERNIERS ORDRES DE NOTRE FLORE

Comme dernière complication dans la classification des Dicotyles, nous avons un imposant groupe de plantes à pétales concrescents bord à bord, à 5 étamines seulement, et à ovaire inférieur, c'est-à-dire soudé avec le calice et la corolle.

A) LES RUBIALES

Cet ordre renferme, dans notre flore:

— La famille du Gaillet, surtout tropicale et américaine, composée d'arbres, d'arbustes et aussi d'herbes dont un bon nombre atteignent nos régions tempérées. Économiquement importantes par leurs teintures, leurs fruits comestibles, leurs principes médicaux; c'est la famille du Café et de la Quinine.

— La famille du Sureau est petite, avec dix genres seulement et 250 espèces, fortement représentée dans nos régions de l'Amérique du Nord. Nombre d'entre elles sont cultivées dans les jardins (Viorne ou Boule-de-neige, Chèvrefeuille, Symphorine, etc.) Notre flore indigène comprend les jolis genres suivants, que l'on voit en fleurs au printemps:

— La Diervillée Chèvrefeuille, arbuste à fleurs jaunes et à feuilles épaisses et luisantes, serrées, acuminées.

— Le Chèvrefeuille. Cinq ou six espèces dans le Québec tempéré.

Planche 33: 1. Morelle douce-amère. — 2. Morelle noire. — 3. Pomme de terre ou patate (Morelle tubéreuse). — 4. Tomate, fruit jeune. — 5. Coqueret (Cerise de terre). — 6. Pétunia. — 7. Jusquiame noire. — 8. Dature. — 9. Nicotiane tabac. — Fleurs (a, e, f, h). — Fruits (c, g, i). — Graines (d, j). — Tubercule de patate (b).

Planche 34: Valérianacées: 1. Valériane officinale (cultivée). — **Dipsacacées**: 2. Cardère, e. fleur, f. fruit. — **Cucurbitacées**: 3. Concombre Melon, g. fleur parfaite, h. fleur mâle, i. diagramme, j. Concombre cultivé, coupe du fr. — 4. Échinocyste lobé. — **Campanulacées**: 5. Campanule agglomérée. — 6. Campanule à feuille ronde. — 7. Campanule des marais (uligineuse). — **Lobéliacées**: Lobélie: 8. L. cardinale. — 9. L. de Kalm. — 10. L. gonflée. — 11. L. aquatique. — Fleurs: a, b, e, g, h, k, m, n. — Fruits: c, d, f, j, l, o.

— La Linnée boréale, petite mignonne formant de délicieux tapis au milieu des lycopodes de nos bois de Conifères.

— Les Viornes: Bois d'orignal, Pimbina et les « Alises ».

— Les Sureaux rouge et blanc, qui se différencient très bien par la forme de leurs inflorescences. Les lecteurs trouveront d'intéressants détails sur cette famille en se reportant à la Flore-Manuel, pp. 238-241.

B) LES VALÉRIANALES

Nous interprétons cet ordre dans son sens large, incluant la famille de la citrouille et des citrouillards. Car la famille de la Valériane est peu représentée ici. On a cependant découvert, dans le comté de L'Assomption, une sorte de gros chardon de deux mètres de haut, avec des capitules de 7 à 10 cm de longueur; c'est le Cardère d'Europe.

Mais venons-en à la famille de nos citrouilles: (planche 34)

— Les Courges, que nous appelons ici citrouilles aux formes diverses: rondes, lisses ou rugueuses; aplaties en turban ou allongées en massue.

— Les Pastèques. . . ? Ce sont les Melons d'eau.

— Le Concombre et le Melon appartiennent tous deux au même genre *Cucumis*.

— Les Gourdes, avec lesquelles on fait des bouteilles, des gourdes, des tabatières, des pipes « calabash », ont un fruit charnu qui devient très dur, en séchant.

— La Luffe ou éponge végétale, est peu connue ici.

Deux genres de cette famille sont sauvages: le Sicyos, commun au Mont-Royal et le Concombre grimpant, commun partout.

C) LES CAMPANULALES

Ce dernier ordre renferme trois familles dont les deux premières ne possèdent, dans le Québec, qu'un genre indigène fréquent:

— Famille de la Campanule, (Fl-Manuel, pages 243-44), planche 34

— Famille de la Lobélie, (Flore-Manuel, pages 243-44), planche 34

— La famille des Composées au contraire est très vaste et nous défie avec ses 1 000 genres et ses 23 000 espèces. Les espèces de notre flore sont surtout des herbes produisant un latex (lait) ou une huile aromatique. Les étamines, au nombre de 5, ont les anthères ou sacs à pollen soudés bord à bord. Le pistil n'a qu'une chambre et il ne renferme qu'un ovule. Le fruit est un akène tantôt nu au sommet, tantôt couronné d'une aigrette. On divise les composées en deux sous-familles dont nous parlerons au prochain chapitre.

Plusieurs Composées sont alimentaires (Salsifis, Topinambour, Chicorée, Laitue, Artichaut, etc.); d'autres renferment des principes colorants; plusieurs sont médicinales (Armoise, Tanaisie, Camomille, etc.); un très grand nombre sont cultivées pour leurs fleurs, surtout parmi les espèces tropicales. En fait, on cultive les genres suivants: Dahlia, Pâquerette, Cosmos, Reine-Marguerite, Santoline, Calendule (Souci, Vieux-Garçons), Centaurée (500 espèces), Crépis (200 espèces), etc.

OCTOBRE

Chapitre 16
Les Composées

1. Vue générale sur les Composées

Nous aurions voulu consacrer plus d'espace à l'étude de cette immense famille qui contient, à elle seule, quatre à cinq fois autant d'espèces que n'en contient notre flore du Québec, avec ses 150 familles environ. Cette constatation est de nature à nous encourager à entreprendre ou à poursuivre l'étude du monde végétal de notre territoire.

À regret, nous ne pourrons attribuer qu'un chapitre à ce groupe qui peuple aussi abondamment nos parterres que nos bois et nos prairies naturelles. C'est là une difficulté pour le botaniste amateur. On connaît, n'est-ce-pas, ce point de la mentalité des naturalistes: ils n'apprécient que les plantes et les animaux sauvages, laissant aux maraîchers les légumes, aux fleuristes leurs géraniums et leurs callas, aux paisibles cultivateurs, leurs animaux domestiques. Tous ces vivants, aux yeux de l'étudiant des choses de la nature, sont des déserteurs et des déserteuses plus ou moins dénaturés, plus ou moins monstrueux, malgré leurs couleurs, leur parfum ou les services qu'ils rendent. Cependant, tôt ou tard, le botaniste amateur devra en rabattre de son purisme et condescendre à faire connaissance avec des Composées cultivées ou introduites. Elles sont si nombreuses.

2. Caractères généraux de la famille des Composées

C'est la plus grosse famille des plantes à fleurs ou Phanérogames; elle compte 850 genres et 13 000 espèces, suivant une estimation très modérée; d'après Rendle, 1 000 genres et 23 000 espèces. Les espèces de notre flore, il va sans dire, sont beaucoup moins nombreuses; ce sont surtout des herbes produisant un latex (lait), ou une huile aromatique. Nous les avons déjà ébauchées. Les fleurs, toute petites, sont groupées en capitules, minuscules inflorescences formées d'un plateau recouvert de fleurs sans pédicelle (sessiles), et entourées de feuilles menues et verdâtres que l'on appelle bractées. Appartenant aux Sympétalées, leur corolle a la forme d'un tube, soit terminé par une couronne de dents, soit surmonté d'un côté d'une languette ou ligule que l'on appelle communément rayon: ce caractère est primordial dans la classification des genres de la présente famille. Mais comment reconnaître que telle plante est une Composée?

C'est bien simple. Constatons d'abord le nombre d'étamines, qui est cinq; ensuite voyons avec une loupe pour l'ordinaire, si les anthères (sacs à pollen) sont soudées bord à bord, formant une sorte de manchon à travers lequel le style surmonté d'un stigmate de formes diverses, doit se frayer un passage. Ensuite, il suffit de constater la présence de capitules entourés chacun d'un ensemble de bractées, auxquelles nous venons de faire allusion, que l'on appelle involucre. Donc, capitules involucrés et 5 étamines à anthères soudées bord à bord; voilà l'air de famille des Composées, prise au sens large. Le fruit est un akène, tantôt nu au sommet, tantôt surmonté d'une couronne de dents ou d'une aigrette souvent sessile, plus souvent encore peut-être portée sur un long bec.

3. La sous-famille des Tubuliflores

Il ne faut pas confondre cette sous-famille avec l'ordre des Tubiflores, dont nous avons esquissé les familles précédemment. Dans la présente sous-famille, nous faisons entrer toutes les Composées ayant des fleurs à tubes, au moins au centre de leur capitule. On

Planche 35: Aster (*Astère*): 1. A. à grande feuille. — 2. A. à feuille cordée. — 3. A. de Nouvelle-Angleterre. — 4. A. novi-belgii. — 5. A. paniculé. — 6. A. ponceau. — 7. A. en ombelle. — 8. A. à f. de Linaire. — 9. A. acuminé.

voit d'ici les Marguerites des champs, les Camomilles, les Asters, etc. À présent, mettons un peu d'ordre dans ce lot qui n'est pas si difficile que ça, ainsi que nous allons le constater. Formons quelques groupes, que nous illustrerons d'exemples.

A) **GROUPE I** — Tubuliflores à feuilles recouvertes de pointes piquantes: Chardon, Cirse (appelé Chardon au Québec). (planche 12)

B) **GROUPE II** — Tubuliflores à feuilles opposées:

a) Bident: les habitants appellent les Bidents les « Fourchettes » ou les « Cadenas ». Ceux qui ont herborisé cet automne, ont certainement fait connaissance avec ces petites fourchettes à 2, 3 ou 4 dents, solidement enfoncées dans leurs vêtements. (planche 36)

c) Hélianthe: c'est le genre du grand Soleil cultivé, dont les énormes capitules mesurent plus d'un demi-pied (2 à 3 dm) de diamètre. On sait que le Soleil cultivé et son grand frère, le Topinambour (Hélianthe tubéreux), sont très employés en agriculture. (Voir la Flore-Manuel de la province de Québec, pp. 258-259).

c) Eupatoire: deux sont à fleurs blanches et une à fleurs pourpres. Attention à l'Eupatoire à feuille d'Ortie, dont les fleurs sont d'un blanc si éclatant; elle est très vénéneuse et de nombreux cas d'empoisonnement sont rapportés en Ontario et au Québec. (planche 38)

Le genre *Arnica* et quelques autres sont plus locaux.

C) **GROUPE III** — Tubuliflores dont les capitules sont composées de fleurs en tubes et de fleurs à languettes de deux couleurs différentes.

a) Les Asters: dans le monde entier, 250 espèces; au Québec, à peine une vingtaine d'espèces à rayons blancs ou bleus, parfois violets. Les Asters cultivés (Reine-Marguerite) n'appartiennent pas à ce genre-ci, mais sont voisins du Chrysanthème, comme la Marguerite des champs. (planche 35)

b) Vergerette ou Vergerolle, dont les rayons, au lieu d'être plats et larges comme sur les Asters, sont étroits, filiformes, blancs ou violets, parfois très réduits.

c) Rudbeckie, Marguerite jaune, en anglais « Black Eyed Susan », dont les fleurs à tubes brunes recouvrent un réceptacle fortement bombé; les fleurs à languettes sont d'un jaune profond. Mauvaise herbe.

d) Anthémide ou Camomille des chiens: feuilles profondément divisées; plante sentant mauvais. (planche 36)

e) Matricaire suave ressemble au précédent, mais d'odeur agréable; les Anglais l'appellent « Pineapple-weed ». (planche 36)

f) Chrysanthème, Marguerite des champs que chacun connaît bien. (planche 36)

D) **GROUPE IV** — Tubuliflores à fleurs en tubes et à fleurs à languettes de même couleur; involucre à bractées inégales sur plusieurs rangs.

a) Achillée Mille-feuille ou Herbe-à-dindes, dont les fleurs à languettes blanches ou roses, sont groupées en un corymbe de capitules, sorte d'ombelles à branches inégales, terminées par de minuscules capitules. (planche 36)

b) Tanaisie commune ayant l'inflorescence de l'Herbe-à-dinde, un corymbe de capitules, mais à fleurs jaune doré sans rayons visibles. (planche 37)

Planche 36: Bident: 1. B. feuillu. — 2. B. à trois arêtes. — 3. B. penché. — 4. B. de Beck. — 5. Hélénie d'automne. — 6. Achillée Millefeuille (Herbe-à-dindes). — 7. Anthémide. — 8. Matricaire suave. — 9. Marguerite des champs (Chrysanthème).

c) Armoise ou Herbe de Saint-Jean, à petits capitules, de fleurs peu voyantes, en grappes montant le long de la tige et des branches. De nombreuses espèces sont introduites. (planche 37)

E) GROUPE V — Tubuliflores avec involucre armé de crochets ou hérissé de pointes.

a) Bardane (Toques, Graquias). C'est une mauvaise herbe. (planche 12)

b) Lampourde orientale. Plusieurs espèces qui ne sont peut-être que des variétés, sont décrites dans les grandes flores. Ici, on peut placer les Centaurées et l'Ambrosie.

F) GROUPE VI — Tubuliflores immortelles: plantes blanchâtres:

a) Antennaires: nombreuses espèces, surtout boréales, avec aigrettes des fleurs mâles en massue. Les plus communes, dans notre région de Montréal, sont l'A. . pétaloïde et l'A. néodioïque.

b) Anaphale perlée: c'est l'Immortelle par excellence dans notre flore, ses aigrettes ne sont ni en massue, ni unies à la base.

c) Gnaphale, à bractées, reluisantes et à capitules renfermant des fleurs mâles et femelles. La G. des marais est très commune.

G) GROUPE VII — Tubuliflores dont l'involucre n'est formé que d'un ou de deux rangs à bractées égales.

a) Tussilage. Pas-d'âne, ainsi qu'un genre voisin, le Pétasite, fleurissent leurs tiges, de bonne heure au printemps, avant les feuilles. (planche 37)

b) Erechtites à feuilles d'Épervière: capitule sans rayons, fleurs blanchâtres; bois. Juillet-septembre. (planche 37)

H) GROUPE VIII — Tubuliflores à capitule entièrement jaune (tubes et rayons).

a) Séneçon, dont les bractées sont sur un seul rang, mais avec une sorte de calicule; capitule gros, diam. 0,5 cm. (planche 37)

b) Verge-d'or, plus de 125 espèces, surtout américaines, bractées sur trois rangs, capitule petit. (planche 38)

c) Inule Aunée, dont les bractées sont aussi sur trois rangs, mais dont les capitules (diam. 3-10 cm) et les feuilles de base sont énormes.

4. Les Liguliflores

Cette seconde sous-famille comprend les Composées dont toutes les fleurs ont une ligule. Certains auteurs font de ce groupe une famille: les Chicoriacées. Nous les diviserons, elles aussi, en groupements artificiels, faciles à retenir.

I) GROUPE IX — Liguliflores à fleurs bleues, simulant au centre des fleurs à tube. Remarquable est notre Chicorée sauvage qui, tout en étant une mauvaise herbe, pourrait peut-être finir par donner comme sa soeur cultivée des feuilles à salade et des racines, une fois torréfiées, se servant en café.

Planche 37: 1. Tanaisie vulgaire. — 2. Armoise du Canada. — 3. A. vulgaire. — 4. Tussilage Pas-d'âne. — 5. Pétasite palmé. — 6. Arnica. — 7. Érechtitès à feuille d'Épervière. — **Sénéçon:** 8. S. vulgaire. — 9. S. doré. — 10. S. de Robbins. — 11. S. Jacobée. — 12. S. pseudo-Arnica (f. *Rollandii*).

J) GROUPE X — Liguliflores dont les fruits portent une aigrette au bout d'un long bec. Nous venons de voir la Chicorée dont le fruit est sans aigrette de soies. La Lapsane commune, à fleurs jaunes, est aussi sans aigrette soyeuse. Mais le présent groupe offre trois genres bien connus à gros capitules jaunes:

a) Pissenlit, graine à bec très long; hampe portant les fleurs, non ramifiée.

b) Liondent, dont le fruit a un bec court; hampe ramifiée; feuilles toutes à la base, ainsi que pour le Pissenlit.

c) Salsifis, sauvage, a des feuilles le long de la tige; fruit surmonté d'un bec à soies plumeuses, dont les barbes sont entrecroisées.

c) Laitue, c'est le genre de nos « salades » pommées ou frisées. Qui de nous a jamais vu fleurir un pied de laitue? . . . Cependant, n'en doutons pas, la Laitue fleurit.

e) Laiteron, ressemblant parfois au genre précédent, mais à capitules plus gros; les fruits ont des aigrettes sessiles (sans bec); plusieurs espèces de mauvaises herbes.

f) Prenanthe, à fleurs verdâtres, blanches ou roses; à feuilles de base, grandes, triangulaires, variables et embrouillantes. Plantes de sous-bois, appelées Nabale par les anciens botanistes.

g) Épervière, genre comptant plusieurs jolies « mauvaises herbes », à fleurs jaunes ou orange, ressemblant fort aux Laiterons, mais à capitules plus petits, à feuilles non embrassantes formant rosettes de base, à akène aplati.

Planche 38: Eupatoire: 1. E. maculée. — 2. E. perfoliée. — 3. E. rugueuse (vénéneuse). **Solidage**: 4. S. squarreuse. — 5. S. verte. — 6. S. bicolore. — 7. S. Flexicaule. — 8. S. hispide. — 9. S. à grande feuille.

Chapitre 17
C'est l'automne

On ne peut s'empêcher de s'exclamer d'admiration à la vue de nos collines, disparaissant sous les éclatantes couleurs automnales de leurs végétations. La gamme des couleurs y est étalée, depuis le violet jusqu'au rouge écarlate, passant par d'innombrables tonalités de vert, de jaune et d'orange. Il y a aussi cet éclat que donnent à la nature notre beau soleil d'octobre et notre atmosphère si limpide. Pas besoin d'être artiste et d'aller bien loin dans les montagnes pour être ravi par ce spectacle de nos feuilles d'érables qui rougissent. Bazin, qui connaît si finement les habitudes de nos arbres, n'a-t-il pas écrit que « certains de nos érables ont deux saisons rouges ». Ceci est surtout vrai de notre Érable à sucre, dont la feuille est l'emblème du Canada.

Une question intéressante: comment et pourquoi les feuilles deviennent-elles rouges? Simplement par la formation d'un liquide rouge, pigment ou substance de réserve chimique affectée à cette saison-ci de l'année. Dans la plupart des cas, ce sont les pigments verts des feuilles qui se transforment en pigments rouges, en glucose ou en saccharose, avant de descendre passer l'hiver dans le tronc de l'arbre, sous forme de réserve sucrée. Ce sucre-là, au printemps, se mêlant à l'eau fondante des neiges absorbée par les racines, donnera l'eau d'érable et ses dérivés, qui font la joie de nos cabanes à sucre. Mais attendons le printemps pour cela.

Une autre question qui doit intéresser un vrai botaniste amateur: Comment les feuilles tombent-elles?

Le mécanisme qui assure la chute des feuilles est décidément merveilleux dans sa simplicité et atteste une intervention divine. Vers la fin de l'été, la feuille ainsi qu'une vieille machine qui a bien fonctionné par la pluie et par le gros vent depuis le printemps commence à se sentir de l'usure. Elle est verte, mais coriace, brisée dans son contour et ses grains verts de chlorophylle qui purifiaient si puissamment l'atmosphère il y a quelques mois, se reposent maintenant, ne transformant presque plus le mauvais gaz de l'atmosphère (CO_2). C'est alors qu'apparaît, à la base du pétiole, une mince couche de liège qui se dédouble, coupant transversalement la queue des feuilles, qui tomberont au premier coup de vent; en effet, elles ne tiennent plus dès lors que par un fil: les vaisseaux de la sève montante et descendante. La plaie est immédiatement cicatrisée, recouverte par une mince couche de liège. Regardons bien à la base du pétiole d'une feuille tombée ou mieux sur la branche à l'endroit où la feuille était fixée, et nous verrons de petits points en relief qui sont les traces des vaisseaux brisés.

Chapitre 18
Notions d'écologie et de phytosociologie

1. L'ÉCOLOGIE est l'étude des rapports entre la plante, considérée isolément ou comme membre d'une société, et son habitat ou milieu. La plante doit s'adapter au milieu (chaleur, lumière, eau, air, sol et autres vivants) où elle s'enracine, en des formes biologiques dont vos collections débordent, ou elle doit disparaître.

Regardons les spécimens que nous avons récoltés depuis le printemps, par mont et val, par forêt, lac ou rivière, et admirons ces adaptations remarquables:

— Adaptation au froid et à la sécheresse:

plantes vivaces ligneuses: Érable, Coudrier, Vigne, Raisin d'ours;
   herbacées: Molène, Trille, Chiendent, Oignon

plantes annuelles: herbacées mourant chaque année dans leurs racines, tiges et feuilles. Seul l'embryon à l'intérieur des graines passe la vie à la génération suivante.

— Adaptation à l'eau (hydrophytes). Étudions les spécimens que nous avons récoltés. Nous devons en avoir quelques-uns, dans l'eau, plus ou moins profonde, courante ou stagnante, douce ou salée. Ces espèces palustres ou aquatiques, flottantes ou submergées, se rencontrent dans les familles les plus diverses. Ces espèces ont transformé leurs racines, tiges, feuilles et fleurs (v.g. Potamots, Herbe-à-la-barbote, Nénuphar, Nymphoïde, Sagittaire, Zizanie, Varech, etc.).

— Adaptation à la tourbière acide: Sphaigne et autres mousses acidophiles, Sarracénie et Droséra, Linaigrettes et Carex, de belles Orchidées et des Éricacées printanières (Lédon, Andromède, Kalmia, Chamaedaphné, Bluet et Atocas), des Saules, un Myrice et un Néprun, un Solidage et un Aster, etc.

— Adaptation à l'ombre des forêts (d'Érables et de Conifères). Espèces qui fleurissent avant ou après les feuilles; espèces qui fleurissent sous les feuilles (ombrophiles), exigeant peu de lumière.

Les principaux facteurs écologiques inanimés sont: la température, la lumière, l'eau, le sol, l'atmosphère. Ils affectent ensemble et de concert la croissance et la vie de tout vivant.

Mais il y a encore les facteurs biotiques, les autres vivants (plantes, animaux et hommes) en compagnie de qui la plante vit en les affectant et en étant par eux affectée. C'est la synécologie, d'où est née la phytosociologie.

2. LA PHYTOSOCIOLOGIE

Les rapports des plantes d'une forêt (savane, prairie, tourbière, désert, etc.) entre elles, des plantes avec les animaux qui y passent et y vivent, doivent être bien connus si l'on veut savoir à quelle société appartient cette forêt, si elle est prospère et stable, ou si elle est en train de disparaître irrévocablement. C'est ainsi que se définit la phytosociologie qui, tenant compte des données floristiques et écologiques, géologiques et géographiques étudie les groupements qui se partagent la végétation de la terre depuis les pôles jusqu'à l'équateur. La végétation de l'Arctique et de l'Antarctique est aride, discontinue et rabougrie, c'est la toundra d'où les arbres dressés et de grande taille sont absents. Ensuite vient la forêt noire des Conifères qui cède la place aux forêts décidues, aux savanes et tourbières, aux prairies, steppes et déserts. De cette aridité, par plusieurs progressions végétatives, nous remontons à l'opulente forêt tropicale aux nombreuses strates, d'une richesse et d'une complexité considérables.

Au Québec, la toundra se rencontre au nord du 60° lat.; tout le long du Labrador et sur nos plus hautes montagnes (1200-1400 m). Entre les 60° et 50° lat., la savane vraie, sorte de forêt rabougrie où les arbres sont clairsemés, succède progressivement à la toundra et se mue peu à peu en taïga (forêt de conifères) vers le sud de son aire; la forêt noire se mêle de décidus et le cède, surtout entre les 45° et 47° lat. nord, à la forêt des bois-francs, à laquelle appartient l'érablière.

Ceux qui aimeraient se documenter un peu plus sur les méthodes de ces sciences écologico-sociologiques pourront consulter la dernière édition (1967) de la Flore-Manuel, pp. 266-290.